眠れない
あなたに

おだやかな
心をつくる処方箋

松浦弥太郎

小学館

眠れないあなたに

おだやかな心をつくる処方箋

眠れないあなたに おだやかな心をつくる処方箋

目次

Chapter 7

孤独を恐れない

Chapter 8

これでぐっすり眠れます

イラストレーション　林青那
ブックデザイン　鈴木成一デザイン室

はじめに

一日が終わり、ベッドに入って、やっと横になったときの安堵と心地良さくらい嬉しいことはありません。

今日もよく頑張ったと自分をほめて、ふうと一息ついて、身体のちからを抜き、静かに眠りに入っていきます。今日あった嬉しかったこと、楽しかったこと、よかったことなどを三つ選んで、今日も一日ありがとうございましたと感謝します。

もちろん、つらいことや、いやなこともたくさんありました。けれども、ものは考えよう。三つくらいはよかったこともあったはず。学びになったこともあったはず。そういうことをありがたいなあと、ぼんやりと思い浮かべていると、いつの間にか意識が遠のいて、白い雲の中に吸い込まれていくように、ふわっと眠っていく。

これが僕の毎日です。

こんなふうに眠れるようになったのは最近のことです。実を言うと、どちらかというと、僕は夜眠れないタイプで、長年、不眠症が大きな悩みでした。眠れないことくらいつらいことはありません。それは僕がいちばん知っています。だからこそ、眠れないことに向き合って、どうしたらぐっすりと眠れるようになるのだろう。どうしたら眠れないことがつらくなくなるのだろうと、ずっと考えてきました。

そこで、僕自身が実験台になって試したり、学んだり、理解をしたり、取り入れたりして、わかったことがいくつかあります。そのおかげで、あれほど夜が来るのが怖かった僕でしたが、今はほんとうによく眠れるようになり、眠れることによって、日々の暮らしがとてもすこやかに送れて仕事もうまくいくようになりました。

昔の僕のように眠れないことに苦しんでいる方は多いと思います。

この本は、日々、眠れないことで悩んだり苦しんだりしている多くのみなさんに、僕が気づいたよく眠るために役に立つ、ちょっとした考え方や意識、その方法などをまとめました。いわば、よく眠るための処方箋のような読み物です。そう、ものは考えよう。この一言からはじめましょう。

みなさんにとって、どんな一日であっても、おだやかな心で終える毎日のために、そして、安心して明日という未来を迎えられるように願いを込めて、この本を書きました。どうかお役に立ちますように。

今日もていねいに。

松浦弥太郎

Chapter 1

まずはこんなふうに

誰もが弱い生き物だから

人間関係の悩みで眠れない日があります。

私たちはどうしてこんなに人間関係に悩むのでしょう。あなたはいかがでしょうか。

仕事を通じ、あるいは日常を過ごす中で、私たちは必ず他人と関わり合って生きています。

それはとてもしあわせなことであるけれど、同時にさまざまな悩みの種になることも多いのが事実です。ふとしたときに思い悩む原因のほとんどは、人間関係の問題ばかり。なんだかいらいらしたり、落ち着かなかったり、そんなときは、いつかのあのひとのことが頭に浮かんでは消え、浮かんでは消えを繰り返す。

どうしたら人間関係について思い悩まなくなるのでしょう。

僕はずっとそれを考えてきました。そうしてたどり着いた一つの気づきがあります。

ひとは誰でも、非常にデリケートで、傷つきやすく、弱くて、壊れやすい生き物である、ということです。

大人になると、強くて、何にでも耐えられると思いがちです。けれど、大人だろうと子どもだろうと、人間である以上、実は非常に弱い生き物なのです。「強いひと」なんていないのではないかとさえ思うのです。自分も強くないし、弱い。ならば自分の周りにいるひとたちも弱くて、傷つきやすくて、弱くて、壊れやすいのです。きっと。

大企業の経営者たちのように、一見したたかで強そうに見えるひとも、みんなデリケートで、傷つきやすい生き物です。次々と降りかかる難しい出来事をどう捉え、それをどう解決できるか、常に悩み続けていると思います。ストレスを澱（おり）のように自分の中に溜（た）め込まずに生きていくために、必死にもがき続けているのではないでしょうか。

僕だけが弱いのではなくて、誰もが毎日のように人間関係で悩んでいますし、仕事のストレスで心底疲れています。そして誰もが、心も身体もとっても壊れやすいのです。それを踏まえた上で、「では、自分はどうやって接しようか」「どうやって付き合おうか」「どういう態度で接しようか」ということを考え直してみる。

もちろん、僕も生身の人間なので、冷静になって考え直すことを完璧にはできません。あくまでそういう努力を心がけるだけです。

「今日は全然眠れないな。あのひとの言った、あの言葉が頭から離れない」。「あんなにきつい態度で接して、冷たい言葉を投げかけてしまった」。そんな夜は、「自分はなぜ、肯定的に思えなかったのだろうか」「なぜそのひとを許せなかったのだろうか」と振り返ります。

そうすると、自分自身の弱さや至らなさを思い知らされます。もう一度、言います。誰もが弱い生き物だということを決して忘れないことです。そうやってまずは自分から変わる努力をしましょう。接し方、話し方、あいさつの仕方など。そうすると、自分だけでなく周りも変わっていくのがわかります。

とにかく人間は弱い生き物なのです。

まずはこういう意識を持つことが、夜、眠れなくなるような人間関係の悩みを、少しでも減らしてくれるヒントになるのではないかと思っています。

コンプレックスはプラスにしよう

どうして自分はこうなんだろう。と考えてしまう夜があります。

心配しないでください。誰にだってコンプレックスはあります。

僕は、コンプレックスに対して、自分なりに向き合い、しっかりと受け止めて、できるだけ何かをする際の重荷にならないためにはどうしたらいいかと考えてきました。

コンプレックスから生まれる、怒りやいらだちを感じたら、その感情は誰のせいでもなく、自意識によって芽生えたものにほかならないと言い聞かせましょう。そして、コンプレックスを自分の強みに変えていくように、その中からプラスに値する意味や事柄を探してみるのです。

僕は若いころから、コンプレックスについて、自分以外にその解決を求めても意味がないと気がついていました。不甲斐(ふがい)ない自分を正当化するための言い訳のように感じていたのです。

とはいえ、コンプレックスをゼロにすることはできません。自分の中でどうやってそれを解決するのか。コンプレックスというつらさを、どうやって扱えばいいのでしょうか。

僕の場合、高校生のころまでは、四畳半と三畳間のアパートに、家族四人で暮らしていました。裕福ではないわが家でした。「うちは貧乏だなあ」と思う幼いころの気持ちは、まさにコンプレックスであり、悔しいこと、悲しいことでした。

しかし、このコンプレックスとどう向き合って生きていくのか。僕は思い悩んだ末、「心の中に置いておく」ことにしたのです。その事実というか現実はどうやったって変えることはできないからです。

心の中に置いておく。つまり、「わが家は貧しい」ということを受け入れるということ。ただ、単に受け入れたとしても、きっとまた、思い出して、悩むこともあるでしょう。「なんで僕は、こんな家に生まれてきたのだろう」と。そんなときがやってきたら、こう自分に聞きます。

「この先、八〇歳まで寿命があったとして、自分のコンプレックスをずっと嘆いて、しかも怒りを持ち、もしくは社会を恨みながら生きていくのか」と。

もちろん、そんな生き方はふしあわせでしかありません。ばかばかしくも思います。冷静になればわかるはずですよね。

コンプレックスというのは、単に他人との違いなのです。

ときに「どうして自分はひとより劣っているのだろう」「どうして自分ばかりにこんなにつらいことが続くのだろう」と嘆いてしまいがちだけれど、他人と違うことを、どうにか自分に必要な学びとして、もしくは天から授かったギフトとして、重荷にならないような考え方に変えていくことが大事だと思ってみてはいかがでしょうか。

その怒りやいらだちという感情をプラスのエネルギーにして奮起するのもいいでしょう。

若いころの僕は、納得できないこと、自分の至らなさからくる負の感情を、コンプレックスとして自分のちからに変えて頑張っていたときもありました。

しかし、そんなコンプレックスの中にも、そのおかげで学んできたことがたくさんあり、感謝の気持ちになれることは必ずいくつかあるはずです。

まずは感謝できることを探してみましょう。違いをたからものにしてしまいましょう。

貧乏だから、ひととは違った経験をしてきた。学歴がない分、社会を知っている。普通の道に行けないから、自分で新しい道をつくってきた、など。ないものがあれば、持っているものも必ずあるはずです。マイナス要素も角度を変えて見てみればプラスかもしれません。

そんなふうにコンプレックスはかんたんにプラスにできるのです。そうすれば、自分の心の中にコンプレックスは授かりものとして置いておけるようになるのです。

マイナスだったものを、プラスにすることは自分の考え方次第で可能です。

そうやって自分にとってストレスだったコンプレックスは、誰にも負けない底力というパワーに変えることもできるのです。

ということで、コンプレックスはあればあるだけプラスに変えてしまいましょう。

まずは、認めること。受け止めること。感謝することです。

「よほどの理由」は魔法の言葉

あらゆる出来事には、いろいろな側面があります。

ある角度から見ると、本当につらい、悲しいと感じることでも、ちょっと角度を変えて見てみれば、それが自分にとっての「学び」や、新しい「気づき」をもたらしてくれるのです。

関係性の中で起きたネガティブな出来事だって同じです。

「あんなことを言われて悲しい」

「あれには納得がいかない」

そんなことはたくさんあります。けれど、それはある一面だけを見て、自分勝手に受け取ってしまっているだけかもしれません。

たしかに、受け止めたときはつらいけれども、ちょっと角度を変えて考えてみると、そうつらくもないと思えることがある。

そして、どんなことにも「よほどの理由」があることを知りましょう。

僕にとって「よほどの理由」は魔法の言葉です。日々の出来事の中には、自分では理解できないことや、納得できないこと、それこそ我慢できないことがあります。それについて無理に理解しようとしたり、いつまでもこだわったりしても、わからないものはわからないのです。そのときに役立つのが「よほどの理由」です。

きっと「よほどの理由」があったんだなあ。この一言で自分を納得させるのです。その「よほどの理由」について、自分には干渉できないし、知ることができない。でも必ず、「よほどの理由」があって、そういうことが起きている。そう思えば、それを受け止めることができると思うのです。

どんな出来事や状況、言動でも、基本、肯定的に捉えてみる。同時に、必然の学びと受け止めて感謝をする。ネガティブなこと、自分が傷つけられることであっても、ちょっと角度を変えて見てみれば、結局、自分にとっての学びがある場合が多いのです。

それは将来、自分が何か困難を乗り越えるときのための学びであるかもしれないし、一つの経験として、プラスを与えてくれることかもしれない。感謝する気持ちを抱くころには、眠りはやってくるはずです。

ルーティンをつくろう

毎日、同じ時間に眠るために、一日のルーティンの大切さは欠かせません。朝五時に目を覚まし、朝食のあとに一時間のマラソン、午前はデスクワーク、午後一時にかるいランチをとります。午後は打ち合わせなどの面会に当てて、夕方五時に夕食。夕食後に一時間のウォーキングをして、雑事をこなしたら、入浴して、一〇時には就寝。このルーティンは、三六五日、ほぼ毎日変わりません。合間に読書をしたり、ぼんやりすることも忘れません。

こんなふうに言うと、驚くひともいるでしょう。毎日毎日、同じ時間に起きて、同じ時間に寝て、その間にやることもだいたい決まっているなんて、「ストイックすぎる」「なんて退屈でつまらない人生だろう」とあきれるひともいるかもしれません。

僕からするとストイックという感覚はなく、どちらかというと、自分がいちばん心地よく仕事をし、その成果を上げるためであったり、常にリラックスした心と身体のコンディションをキープするため、できるだけストレスを溜めないためには、どうしたらいいのだろうと、時間をかけて試行錯誤した結果、やっと見つけた発明のようなタイムスケジュールなのです。

僕がエッセイストであり、経営者だからできることでもありますが、誰でも今の環境の中で、そのひとなりの最適なルーティンはつくれるはずです。

たとえば、朝の習慣をつくってみる。もしくは眠る前の習慣をつくってみるだけでも、日々の暮らしにリズムはできます。そのリズムを大切にすることで、常に自分がリラックスしている状態をキープするのです。

時間がばらばらで、何が起きるかわからない中で、その対応に自分が振り回される毎日は、自分が自分でなくなる疲れ方と言いましょうか、とにかくリラックスからは程遠い毎日になってしまいます。

それでよく眠れるはずはありませんし、身体も心も壊してしまいます。不必要な緊張感が生まれたり、不安に苛まれたりして、そのぶん、眠りも浅くなってしまうでしょう。充分に眠れないと、生活のリズムもさらに崩れてしまいます。

若いころの僕は、そんなことにはまったく気づきませんでした。

日々の生活や人生には、いろんなことが起きて、毎日、何らかのスペシャルがあることこそが、楽しくて、豊かで、しあわせだと思い込んでいました。「退屈だ」とか、「つまらないな」と思うことは、幼ければ幼いほど思いがちだったし、僕も若いころまでは「おもしろいこと、何かないかな」と考え続けていました。

けれども、大人になってから、「退屈だ」とか、「つまらない」ということに対する解決法は、スペシャルを計画することではないのかもしれない、と思うようになったのです。

「同じ毎日」ということは、けっして、自分にとってふしあわせなことではないと気づきました。

変わらぬ同じ毎日からは、いつも心に余裕が生まれ、いつも心が整った状態で仕事をし、暮らすことができます。当然、コンディションはよいので、仕事の成果も上がり、人間関係や暮らしには、安心という豊かさが生まれるでしょう。

そうです。今日は何も起こらなかったことに安らぎを覚える。そのしあわせに感謝する、そんな日々が、僕の心と身体を癒してくれているのです。

愛するべき三つのこと

ちょっと大げさな言い方になってしまうけれど、私たちの人生とは、「不安」と「孤独」と「欲望」。この三つといかに上手に付き合っていくのか、ということだと思います。

その三つに負けてしまったり、振り回されたり、あるいは支配されてしまったときに、「正しくない自分」が生まれると思うのです。

とはいえ、それには抗(あらが)えないのです。この三つが、自分の中から完全になくなることは永遠にありません。だからこそ、上手に付き合っていくことを学んでいきたいと思います。

どうすれば、それができるのか。簡単なことではないけれど、この三つに対して抵抗することも、隠すことや逃げることもしないで、自分の一部として、まっすぐに認め、受け止め、愛することを決めればいいのです。

「不安」と「孤独」と「欲望」を嫌ってはいけません。一生、愛していく。このくらいの気持ちでちょうどいいとさえ思います。

この三つについて、考えることも苦しいし、それと向き合うのもつらい。けれども、その苦しみやつらさを避けずに「耐えられる我慢」に抑えておく。いま起きていることや現状を見たくないからと、放っておいたら、もっと悪くなってしまいます。

要するに現実を受け止めたくない自分を変えることです。

そして、現実を受け止めることができれば感謝が生まれます。

ある意味、開き直って、不安は当たり前、孤独も当たり前、欲望も当たり前、それが健康な人間であると思えばいいのです。

その三つは試練かもしれません、学びかもしれません、どちらにしても自分にとって絶対に必要なことに違いありません。

「こういう試練が自分には与えられているのだ」「大変だけど学ぼう」と、プラス思考に変えて一日を終えられれば、必ずやいつか喜びとして返ってきます。

そのためにも、その三つを自分にとってかけがえのない友人のように思いましょう。

僕自身の経験からですが、これから先、もっとも手に負えないのは「欲望」かと思います。無欲になれ、ストイックになれ、ということではありません。「欲望」が爆発しないように、「欲望」によって過ちを起こさないように、いちばんに向き合って、愛していくことをおすすめします。

その欲望は心からの欲望なのか、単になにかいやなことを忘れたいがための欲望なのか、よく見極めることが大切です。

ベッドに入って目をつむったとき、自分の心からの欲望をしっかりと見つめる。なぜそう思うんだろうと考えてみる。これだけでも、きっとよきナイトキャップになるはずです。

Chapter 1
まとめ

誰もが弱い生き物だということを忘れない

コンプレックスはプラスにできる

「よほどの理由」があると納得する

朝の習慣、夜の習慣をつくってみる

「不安」と「孤独」と「欲望」とうまく付き合う

Chapter 2

ストレスとは仲良く

新しい習慣を試す

四〇歳で『暮しの手帖』編集長の就任後、僕は生まれてはじめて睡眠障害を経験しました。

それまでは、フリーランスの立場でしたから、時間は自由にコントロールし、決まった職場に行く必要もありません。たった一人でとても自由に仕事をしていたのです。

しかし、『暮しの手帖』の立て直しを任されてからは、毎日朝八時に会社に行くようになりました。定時は九時半スタートでしたが、誰よりも早く僕は会社に向かいました。それは、「会社というところでの働き方」とか、「雑誌のつくり方」、いわゆる「組織」の中で、自分を機能させていくということが初めての経験だったからです。焦りの気持ちが出勤時間を早めさせていたのです。

毎朝、職場の掃除をし、仕事の準備をしながら社員のみんなが来るのを待っているあいだ、僕はずっとプレッシャーを感じていました。

これからは会社組織の一員です。役員であり編集長である自分の失敗は、会社にも社員にも迷惑がかかります。経営から編集、人事に関する、考えること、行動に移すこと、判断や計画することなど、やるべきことは多く、当然、不安な要素も多い。あらゆることに自分が関与し、先頭に立って自分が手を動かさないと、雑誌を新しく変えることはできません。弱音を吐く余裕もなく、毎日フルに働いて、みんなが帰ってから戸締りをして帰る日々を送っていました。

何とかリニューアルを成功させなければいけない。『暮しの手帖』には、古くからの読者だけでなく、雑誌を支える先輩たちや関係者も多く、そういうプレッシャーも感じていました。

昼間はめちゃくちゃ忙しく、夜はクタクタになって帰り、倒れるような感じで床に就く。ところが、一時間半、二時間ですぐに目が覚めてしまう。そして、それ以降、眠れなくなる。ようやくウトウトする感じになると朝が来る——。そんな日々がずっと続きました。

眠れないと、夜が怖くなってしまう。「また起きてしまうのではないか」と、不安になる。休日であっても朝までぐっすり、なんて一度もなくなってしまいました。

夜、眠れなければ、昼間の作業効率はみるみる下がっていきます。まったく気の休まらない状態が続き、いつも不安感に襲われていました。動悸が静まらなくなり、しまいには、電車に乗れなくなってしまいました。ひとが多いところが苦痛になり、朝になると身体が動かなくなってしまったのです。そのうち、他人の声さえも聞こえづらくなってきて、「これはいけない」と心療内科に駆け込むと、たくさんの薬が処方されました。

「何とかしなければ」

そう思って歩いていた、ある日のこと。

ふと何げなく歩くスピードを速めて、走り出しました。

当時、満足に運動もしていなかったから、もちろん速くは走ることができない。足がもつれそうになります。けれど、ハアハアと息を荒らげ、じんわりと汗をかき始めたころから、ちょっとだけ気分が軽くなるのを感じたのです。

走っている、その瞬間だけは、いろんな心配事が頭から消えていました。その日は一〇分、一五分、走っただけでしたが、たしかにその瞬間、無心になることができたのです。この「無心になれる」ということが、僕にとってすごく救いになりました。

なぜ、走ってみようと思ったのか、僕にもわかりません。走り慣れてないから、長い距離を走ることはできない。でも、無心になれることを見つけられたことは、僕にとって大きな収穫だったのです。

「マラソンを始めてみよう」

こんどは着替えて、三〇分ぐらい、歩いて、走って、歩いて走ってみました。すると、心地良い疲労感に包まれ、その日はぐっすり眠ることができたのです。

「これはもしかすると良いのかもしれない」

それから現在に至るまで、僕は天気の悪い日を除き毎日、走り続けています。

無理のない範囲で走ることを習慣にすると、心身がリフレッシュされているのを感じます。言葉で言い表すとすれば、「気が流れていく感じ」。

そんな日々を続けていくと、少しずつ「眠れない」ということ自体に対して、前向きな興味が湧いてくるようになりました。

走っているときは、仕事上のストレスも忘れ、無心になれる。もちろん、問題がそれで解決するわけではないけれども、走っていれば、少なくとも今までよりは眠りやすくなった。

少しずつ、少しずつ、良くしていこう。

気持ちが前向きに転じてくると、こんどは、「眠れない自分」の状況を良くしていくことに対し、「どんな工夫をしようかな」と考えるようになっていきました。薬に頼るのではなく、工夫すればきっと眠れるようになるはず。そう僕は思うようになったのです。

眠れない理由は、仕事上のいろいろなストレスにある。でも、仕事を辞めてしまったら、はたしてラクになって眠れるのだろうか。きっと、そうではないはず。仕事上の問題や、人間関係は、僕自身の力ではどうにもなりません。ならば、新しい習慣を取り入れたり、ライフスタイルの見直しなど、自分自身で解決できることから取り組んでいけば、改善に結びつくはずです。

そしてこんなことも考えました。

「眠れないのは、僕一人じゃない」

世の中のひとのほとんどが、眠れないような悩みを抱えて生きています。べつに、僕だけが悲しむ必要はないのです。「まあ、眠れない日があってもいいか」と、開き直りもときには必要です。気楽になりましょう。

睡眠は、「眠ること」自体が目的ではなくて、「心と身体を休めること」が目的。そう思うだけでもいい。横になっているだけでも身体は安まるのです。

教えてくれてありがとう

いつもたいせつにしているのは、「物事を肯定的に受け止める」ということです。あらゆる物事に対して、しっかりと受け入れて、心から感謝をする。そして、ひとには親切を心がける。何があっても他人のせいにはしない。

この先、自分はどういう人間になりたいのか、どういう生き方をしたいのか。

それを考えるうえで、決して忘れたくないことがあります。それは人間関係において、「他人を許す」ということです。

それは、なにもひとのためではない。僕自身が学ぶため、前へ進んでいくための方法です。物事を肯定的に捉え直す。何が起きても否定しない。感謝する。許す自分でいる。

怒りの感情を覚えたとき、すぐに許すという心境に至るのはむつかしい。けれども、この怒りは一体何の役に立つのだろうか、と考えてみましょう。すると、怒りはすっとおさまります。

怒りや苛立ち(いらだ)を態度に表すことで、さらにマイナスな方向に向かったり、問題の解決を遅らせたり、別の新たな問題を生じさせたりする場合だってあります。

自分に起こることや、自分を攻撃すること、傷つけることの数々はみな、自分にとって、いつか必要なときが来る学びである、と考える。

つらい、悲しいと感じることも、違う角度から見れば、それが自分にとっての「学び」や「新しい気づき」なのです。学びをありがとうと思うのです。

自分が怒ってしまうような出来事は、そこにも相手や状況に「よほどの理由」があるはず。いちいちこだわらずに許せるようになりたいものです。

メロディを意識する

若いころの僕には、自分が「消耗している」という感覚はまったくありませんでした。

気力さえあれば、無限に動けるし、考えられるし、働ける。減るものなんてないと思っていました。

しかし、自覚がなかったとしても、日々とても消耗しているのです。

バッテリーは無限ではありません。何かを働かせれば常にエネルギーは減っていきます。これを知らないと、身体を壊すし心も疲れてしまいます。

みなさんは「自分は毎日消耗している」ということを、それほど自覚していないかと思います。

はっきり言います。私たちは消耗から逃れられません。万能で強靱（きょうじん）でもありません。ですので、できるだけ消耗しないように工夫して、日々を無理せずに暮らしていくことを心がけましょう。仕事も同様です。できるだけ消耗しないように気をつけることです。

身体や心のバッテリーは有限ですから、自然に対するような「エコ的な考え方」を自分に対しても持つべきなのです。

どうするかというと、いたわりながら、うまく手を抜くことが大切です。それはなにも「ズルをする」「さぼる」ということではありません。何事にも緩急を心がければいいのです。意味のないところで力を使わずに、常に気を張らないことを意識しましょう。

一所懸命、まじめに取り組むのはもちろん大前提ですが、計画も立てずに無我夢中で働くということではどんどん消耗してしまうし、いつか倒れてしまいます。

そこで一つの工夫です。音楽にメロディがあるように、日々の仕事や暮らしにもメロディを意識するとよいのです。今日はどんなメロディで仕事をしようか。過ごそうかと考えてみてはいかがでしょう。

バランス良く、適度に力を抜いたりしながら、できるだけ消耗しないような、「エコ」な時間の使い方と過ごし方を心がけます。

身体や心のバッテリーは無限ではないのです。消耗しないように、日々を暮らしましょう。

自分を守るために。

生きているといろいろある

これまでの人生において、してしまった良くないこと、忘れることができない後悔などの記憶が、ふっと甦(よみがえ)って、眠れなくなることがあります。みなさんはいかがでしょうか。

意外とそれは根が深いのです。

「罪」とまでは言わなくても、たとえば悪気がなくても、たとえば、道路に自分がまいた水で足を滑らせたひとがいたとしたら、心の中には後悔と罪悪感が生まれるでしょう。

誰も自分を責めるひとがいなかったとしても、心の中には、「ひとを転ばせてしまった」という後悔と罪悪感がいつまでも残ってしまいます。

そんなことは日々、生活の中で何度も起こっているはずで、気づかぬうちに心をむしばんでいきます。たとえ法律的には「罪」ではなくても、そんな罪悪感を覚えた一つひとつの忘れられないことが心に溜まっていく。このストレスが、自分を落ち着かせなくして、眠りから遠ざけてしまうケースは少なくありません。

そんな思いで眠れないとき、たとえば僕は、こんなふうに考えるのです。

「生きているといろいろある」って。

未熟な自分だからこそ、ひとに言えないようなことで、自分が勝手に悲しんで、苦しんでいることは、誰もがいろいろとあるよ、と。

それはある日の自分の行いや思いを「なかったこと」にするということではなく、きちんと向き合って、心から反省をする。そして、許す。その中で少なくとも良かったこと、少しはひとの役に立てたことを見つけて、くよくよせずに前向きに生きる。

そう思うだけでもちょっと変わってくる気がします。「あのときの……」という、モヤモヤをそのままにしないで、一つの教訓として学ぶ。後ろを見ないで、常に前を見るために。

良いことばかりではなく

過ちを犯したり、間違った判断をしてしまうことは、誰にでもあります。だめな自分がいる。また、失敗をした自分がいる。その繰り返しに苦しむことがあります。自己嫌悪に陥っていやになります。

さて、どうしたらよいのでしょう。僕はこう考えます。

本来、人間は誰もが聖人君子ではありません。とっても弱くおろかな存在です。ちょっと哲学的な表現になってしまうけれど、「良くないことをしてしまうのが正しい人間」と僕は思っています。不安や恐れ、孤独、欲望という、耐えきれない人間の性からは、私たちは決して逃れられないのですから。良くないこととはなにか。それは自分が自分にがっかりすること。けれども、そういう良くないことをしてしまった経験こそが、できるだけ正しく生きようという力をもたらしてくれるのではないでしょうか。

個人的なことですが、たとえば他人から見たら、僕という人間は「正しい生き方」をしているように見えるかもしれません。

「どうしてそんなに毎日正しい生き方ができるのですか？」。そう聞かれたとき、こう答えることにしています。

「もし僕がほんとうに正しい生活ができているとするなら、それだけ良くないことをしてきたからです」

僕自身、これまで数え切れないほどの良くないことをしてきたと自覚しています。法に触れるようなことではありませんが、ひとを傷つけたり、意見が衝突して袂を分かったり、仕事がうまくいかない原因をつくったりしたことはたくさんあります。

「このひと、すてきな生き方をしているな、神様みたいな生き方をしているな」といわれるひとは、それだけ学ぶべき経験をしてきたのだというイメージを僕は持っています。

忘れられない過ちは誰にでもたくさんある。いっぺんに解決はできないし、すべて清算はできないけれど、一つひとつ、自分なりに反省をして許していく。そうやって学んでいくことしか方法がないと思うのです。

繰り返しになりますが、「良くないことやおろかなことをしてしまうのが、正しい健康な人間」と思うことは間違っていないと思います。

それはみんな同じ。そう思うと、他人を責めたり批判することも自然と減りますし、今まで以上に他人を励ましたり、許したり、支えたりする自分になれる気がするのです。

ちょっとよける

言い方が悪いかもしれませんが、みんなマジメすぎるなあと僕は思うのです。

マジメというか「真に受けすぎる」という感じでしょうか。こうするべき、こうあるべきという一般常識的な観念に縛られているといいましょうか。

僕も若いときは、他人に言われることすべてを真に受けてしまったし、苦労も困難も真正面から全部受け止めて、「自分で何とかしなければいけないな」と、無我夢中な日々を送っていました。

それはそれで、若い世代ならではの経験として良いのかもしれません。けれど、五〇代半ばの僕がアドバイスをするとしたら、「もうすこし、よけていったほうがいいよ」といいたいです。

「よけられるものは、よけていい」。僕はそれを強く伝えたいのです。

何事も真正面から全部受け止めてしまっているのではないでしょうか。すべて受け止めてばかりいると、物事を俯瞰(ふかん)し、冷静な判断を下すことができなくなってしまいます。

普段の暮らしの中でも「これは怖い」「これはまずい」と思ったときは、世間体や周りのひとの目を気にせずに逃げてしまっていいのです。

逃げ足の速さは賢さのあらわれと思います。

若いころは、経験がまだ少ないから、逃げる判断はむつかしいけれど、逃げることができなくとも、「ちょっとよける」という選択肢は持っていてよいでしょう。

よける。急所を外す。仕事や暮らしで、できるだけ「自分の一番弱いところ」に当たらないように、軽く身体を動かしてよけるイメージを持ってみる。多少当たっても、致命傷にならないように、いつも「よけていく」感じは必要なんです。

「よける」ためには、何事に対しても、一定の距離感をいつも保っておくことが必要です。距離が近すぎると、よけられませんから。必要以上に密接な人間関係になると、相手に巻き込まれたときに逃げることができなくなるように。

人間関係の目的は、けっして「できるだけ親しくなる」ということではないと僕は思っています。人間関係は、適度な距離感を保つべきもので、距離感を縮めるのは、恋人や家族など、とても特別な場合です。

人間関係において、僕は「できるだけ他人と群れない」ということを徹底しています。これは人間関係の理想形だとも思います。できるだけ他人と群れずに、個としてその場その場の環境の中で役割を果たしていくというのが、とても心地良いのです。

どこにも属さず、適度な距離で他人との距離感を保っていれば、常に客観的でいられ、いろんな出来事をよけられるのです。

よけるための距離感を保つことを心がけましょう。

Chapter 2

まとめ

睡眠は「心と身体を休めること」が目的

何が起きても感謝する自分でいる

身体や心のバッテリーは無限ではない

生きているといろいろある

良くないことをしてしまうのが正しい健康な人間

よけられるものはよけていい

Chapter 3

逃げることと逃げないこと

苦しみはしあわせのためにある

子どものころから、宗教やちょっと精神世界めいた不思議なものに興味を抱いていました。同時に、古今の「賢いひとの考え」を、本で読んだり、ひとに聞いたりするのが、とても好きでした。

それは、子ども心にも潜在的に抱いていた、恐怖心に負けず、前向きに生きる方法とは？　という問いの答えを探すためでした。子どものころの僕は、幽霊やおばけ、ＵＦＯや大地震など、オカルティックなことや、この世の不思議なことが不安に思えて仕方がなかったのです。

とにかく不思議の謎を解きたかったのです。そこで感じ取ったのは、世界には、あらゆる宗教や思想があるけれど、「言っていることはみんな一緒」。つまり、不思議という、それが何で、どうなるかわからないことから生まれる「不安や恐怖心」を、いかに前向きにとらえて生きていくのかを教えているのだと気づいたのです。

一〇代のころでしょうか。誰もがそうであるように、何もかもが「こわいな」「いやだな」と毎日思う時期がありました。どうしたら、そんな不安や恐怖心を和らげることができるのか、僕はいつも考えていました。そしてたどり着いたのは、こんな考えです。

たとえば、マッサージを受けて、強い痛みを感じたとします。この痛みを、どうやって耐えたらいいのだろうと考えます。

痛いということは、そこに問題があって悪いということ。自分が何かよくないことをしたのではないだろうか。よくない食生活をしていたのではないか。よくない生活習慣を送っていたのではないか。よくない考えをしたのではないか。つまり原因は僕自身にある。それなら、その痛さを受け止めることで、「プラスマイナスがゼロになる」。そう思うようにしてみたのです。痛みに感謝をするというとおかしく聞こえるかもしれませんが、痛い度に「ありがとうございます」と心で思ってみました。

すると、嘘のような話ですが、その痛みが和らいだのです。この痛みは僕のせい。誰のせいでもない。僕が受け止めれば、プラスマイナスはゼロになる。そうすると、この痛みはありがたいもの。

痛みだけでなく、つらさや困難は、すべて自分自身のバランスを整えるために起きるのです。痛みや苦しみを耐えるのは確かに大変。しかし、早く過ぎ去れと思うか、ありがとうございますと感謝するかでは、感じ方は大きく変わります。

どんなに苦しくてネガティブなことが起きても、原因は自分の中にあり、そのネガティブなことはバランスを整えるために起きている。それならしっかりと肯定し、反省して受け止めよう。ネガティブはポジティブのためにある。この意識はとても役に立つのです。

長生きのコツ

ひとのこころは複雑にできていて、何かされたわけではなくても、目や耳から入る外からの刺激とか、肌で感じるちょっとしたストレスがきっかけになって、バランスが崩れます。それが重なると、自分を客観的に見られなくなり、冷静な判断がくだせなくなる。

心が落ち着かなくてざわざわしたり。そんなとき、僕は「逃げる」という選択肢がとても大事だと思います。

以前に、九〇歳を超えたおばあさんに何気なく、「長生きするコツは何ですか？」と聞いてみたことがありました。

健康に気を遣うこと。適度に運動すること。よく眠ったり、身体によいものを食べること。僕はそういう答えを想像していました。

おばあさんはこう言いました。

「逃げ足の速さですよ」

それは、僕にとっては衝撃的な答えでした。

戦争のとき、自然災害があったとき、とにかく自分が怖いと思ったとき、おばあさんは誰よりも早く逃げたと言うのです。周囲がまだ「大丈夫よ」と言っていても、おばあさんはさっさと走って逃げたのだそう。「私は怖がりだったから」と。

「みんなに笑われながらも逃げた。逃げなかったひとは大変な目にあった」

そう、普段の生活の中で「怖い」と思ったり、危険を感じたりすることがあったら、世間体や、周りのひとの目を気にせずに逃げたほうがいいと思います。

逃げてしまうのは弱いことで、恥ずかしいことだと思いがちですが、でも、「怖い」と思ったときは、どんなに非難を受けようとも、逃げたほうがいいのです。

いじめを受けながら我慢して学校に行くよりも、絶対逃げたほうがいいと思うし、仕事場でも、「いやだな、怖いな」と思ったら、とどまらずその場からさっさと逃げたほうがいい。

「逃げる」という選択肢を、いつも持つべきです。

強がって、正面から受け止め過ぎて、取り返しのつかないことになったら元も子もないのですから。

逃げるは長生きのコツ。覚えておきましょう。

矛盾はあたりまえ

しらずしらずのうちに、僕たちは世間体を気にしてしまいがちです。でも「世間様」っていうひとたちがどこにいるのか、わからない。自分が勝手に気にしてしまい、つくり出した存在にすぎないのかもしれない。

そんな自意識は手放しましょう。世間なんてものに気を遣っても何も得がありません。疲れるだけです。

そしてまた、あらゆるもの、すべての物事には矛盾がある、ということを知るべきです。

すべてのことに矛盾がある。一から一〇までのこと全部に矛盾がある。ですから、論理的になって、いちいちこだわらないというか気にしない。

矛盾はあたりまえ。というのが僕の考えです。

たとえば「良くないことをしてしまうのが、健康で正しい人間である」とも、常々思っていますが、もうすでにそこに矛盾をはらんでいます。

矛盾にこだわらず、いらつかず、悩まない。これはある種の「知性」だと思います。まじめすぎなくていい。完全なものなんてこの世にはないのですから。

矛盾とは人間らしさであるのです。あたりまえなのです。ですので、実は矛盾していることが、矛盾していないこととも言えるのです。

すべては絶望からはじまる

たとえば失恋。たとえば友だちからの裏切り。たとえば突然仕事を失う……。

絶望の底に落とされる機会は、人生の中で、誰にだって一度や二度は訪れるのです。

「もうだめだ」

「何もかも失った……」

つい、そんなときは深刻に思い詰めてしまいがちですが、ものは考えようです。くよくよしても仕方がありません。さすがにすぐには無理かもしれませんが、一日か二日くらい落ち込んだら、あとは新しいことを考えましょう。いっそ、この絶望を大きなチャンスと考えるのも悪くはありません。いや、そう考えましょう。

なぜなら、ひとはゆとりがなくなり、絶望の気持ちになってはじめて、なんとかしようと自分の頭で真剣に考えるようになるのです。日常では使われないスイッチが入るのです。

絶望してはじめて、めちゃくちゃ頭を使ってアイデアを生み、なりふり構わずがむしゃらに行動を起こす。こんなふうに絶望は大きなエネルギー源でもあるのです。

あるひとが、こんな言葉を教えてくれました。「絶望は、行き止まりじゃない」。

絶望はすべてのはじまり。絶望は終わりでも失敗でもない。

歴史的にも、この世にある新しいものや、すてきなものは、もうだめだ、困った、つらい、悔しい、手も足も出ないという絶望から生まれているものが多いのです。人間は絶望という困難によってさまざまな発明をしてきたのです。

人間は、絶望を乗り越えるために、生きるための本能として新しい発想を生み出す。新しいアイデアがひらめき、世の中を変えるような新商品や新しいシステム、文化をつくってきた。

ですから、絶望して嘆いている時間はもったいありません。絶望した気持ち、感情を、プラスに働かせていきましょう。

僕がはじめてアメリカに行ったときのことです。日本に帰る間際、小銭しかなくなってしまったのです。1ドル50セントぐらいしか財布に残っていませんでした。

飛行機のチケットはありましたが、日本には帰れない。なぜなら、空港に行くお金がないのです。歩いて空港まで行くわけにもいかず、食べものも買えない。

「どうしよう……」

ここで僕は「どうしたらいいか」を、はじめて徹底的に考えた。

それはある意味、絶望的な瞬間でした。しかし、それでも、なんとか生きていかなきゃいけない。ご飯も食べなきゃいけないし、空港に行って日本に帰らなければいけない。

自分の身の回りを見渡してみた。そして僕は決心しました。

「このバッグを売ってしまおう。そして売れるものはなんでも売ってしまおう」

道端に新聞紙を敷いて、持っているものを置いてみたのです。

すると、足を止めるひとが何人か現れました。

彼らは僕に聞きました。「どうしたんだい」。

「お金がなくなってしまったので、持ち物を売っているのです」

すると、それを聞いた一人が、あきれたのか、可哀そうに思ってくれたのか、僕の手に、20ドル紙幣を三枚握らせてくれたのです。助かった！　これで空港に行けると思いました。

そのころの僕は、その場しのぎで生きていました。ですから、空港行きの交通費さえ残っていなかったのです。いまなら、そんな絶望的な状況になる前に、もっと何かやるべきだった、と思います。しかしこうも思う。

切羽詰まってないと、ひとは動かない。

絶望していないから、行動に移さない。

絶望してはじめて、そこに目的が生まれ、必死に頭を使う。

もちろん、絶望しない人生のほうがよいけれど、でも、もしあなたが少しでも絶望を感じたときには、思い出してほしいと思う。

絶望をしても人生は終わりではないし、失敗でもない。そこで何もかも失うということは、そこから何かがはじまることでもあるのです。ひとの心を動かすことにもつながるような、新しいアイデアや発見も生まれるのです。すべて絶望からはじまるのです。絶望ウエルカム！

考えることから逃げない

日ごろから心がけていることがあります。

それは、自分の悩みや不安についてを考える習慣です。

日常起こりうる悩みや不安を、見ないフリをするのではなく、きちんと向き合って、それをどう解釈するのか。どう判断し、この先の道へどう進んでいくのか。それとも新しい道を選ぶのか。どちらも答えを見つけるのはかんたんではありません。しかし、この考える習慣が、とてもたいせつです。

何か起きたとき、パニックになって、思考停止してしまわないように、他人に依存せず、日々考える習慣を身につけておきましょう。困ったな、どうしよう、と思ったとき、たとえば、スマホで何かを調べたりするのではなく、まずは自分の頭でじっくりと考える。

この習慣は大変かもしれません。時間もないし、心の余裕もないかもしれません。考えること自体も面倒ですし、それと向き合うのもつらい。けれども、この大変さを避けないことがたいせつです。

現実に起きていることや、困難な現状は、できることなら放っておきたい。こんなふうに私たちは知らぬ間に現実逃避していることが少なくありません。しかし、なかったことにしたり、先延ばしにしておくと、状況は深刻になっていきます。

できるだけ早急に、「自分の頭で考える」という習慣を持つことが、結局は自分自身を取り返しのつかない事態から救うことになるのです。

「こういう試練が自分には与えられている」

「これはありがたい学びなんだ」

「大変だけれど、この先に未来がある」

そんなふうに思考回路を切り替えて、悩みにはプラス思考で対処する。そうすれば、その大変さはちょっと軽くなってくるのです。

考えることから逃げない。まずは自分の頭で考える。このことを忘れないように。

Chapter 3

まとめ

ネガティブはポジティブのためにある

逃げるは長生きのコツ

物事には常に矛盾がある

すべては絶望からはじまる

まずは自分の頭で考える

Chapter 4

考えるという旅を楽しもう

まだ大丈夫、は禁物

自分の悩みや不安について、体重計に乗って体重を計るように、定期的にチェックする習慣を身につけると、安心であるだけでなく、自分自身の心に向き合う機会が増えていきます。

その一方で「自分を過信しない」ということが、とても重要になります。身体もそうですが、特に「メンタル」は、計ったり、状態が目では見えないものです。まだ大丈夫と、自分を過信して、本当は心がとても消耗しているのに、元気なふるまいをしてしまいがちなのが怖いのです。

昨日より今日は消耗しているし、当然朝よりも夜は消耗している。誰もがきっとそうです。その消耗しているぶんを、なにかしらの方法で回復させておかないと、消耗自体がどんどん増えていってしまいますね。

その結果、気力がなくなってしまったり、いつもイライラするようになってしまう。周りへの反応もできなくなってしまう。これはとても怖いことでもあります。

そうならないためにも、常に「消耗」と「回復」という二つの行いをセットで意識するように考えてはいかがでしょうか。

タイヤがすり減るように全速力で走り続けるのではなく、気の向くままに、いったん立ち止まってみる。そして、手を止める。思考を止める。まわりをよく見回して、深く深呼吸をしてリラックスする。こんな習慣を意識的に取り入れるのです。慣れてしまえば、逆にこの習慣が心地よくもなってきます。

そしてまた、「自分でなくてもできることは、他人に任せてみる」。そんなことから始めてみるのでもいい。一人で抱えこまないように工夫して、できるだけ自分自身の消耗を減らす方法を編み出していきましょう。

年齢を重ねれば重ねるほど、当然ながらバッテリーの減り方は速くなります。それを自覚しておかないと、つい「大丈夫」と過信してしまいます。

心は強いと思っていた僕でも、四〇代で「うつ病」を体験しました。長く体調を崩すこともありました。そのときに学んだのは、自分を過信してはいけないということなのです。

まだ大丈夫。この言葉は禁物なのです。

考えるという旅をする

僕たちが生きていくうえで最も本質的なこと、それは、「自分で考えること」です。

そして、もっとたいせつなのは、「考え続ける」こと。答えは一つではないし、そもそも、答えを見つけること自体が目的ではありません。しいて言えば、目的は考え続ける、もしくは悩み続けることかもしれません。

考えること、悩むこと。これは決してつらく苦しいことではありません。

たとえれば、旅をして、知らない街を歩き続け、さまざまな出会いを繰り返すというような楽しさがあるのです。

考え続けていると、思わぬところから副産物が見つかります。自分の中で、「こうだろうか」「こっちだろうか」と試行錯誤してみたり、いろんなものを疑ってみたり、出来事や目の前の問題を、いろんな側面から考えてみたりすることを通じて、思わぬところから嬉しい副産物が見つかるのです。

求めていた答えではありませんが、予測もしていなかった気づきや学びの発見がある。ここにAIとの違いがあります。そのようにして発見したものが、僕たちの知恵となり豊かさになり、その先にしあわせをもたらしてくれるのです。

とはいうものの、そんな「考える」ことの中には、嬉しいこともそうでないことも両方含まれています。中には新たに困ってしまうことが出てくることもありますが、そういう連鎖もまた貴重な学びであるし、きっと自分に必要なものなのです。

大切なのは、何も考えずに、ただ流されるまま生きていると、答えが見つからないばかりか、気づきや学びというものの発見もなく、あげく他人や外部に依存してしまう意思なき人生を歩む怖さなのです。

情報が多すぎる現代社会では、ＡＩを駆使したり、検索をすれば、深く考えなくても生きていけるかもしれません。何をどうしたらよいか、その答えは外部から与えてくれるので、わざわざ頑張って考える必要はなくなってしまいます。しかし、そんなテクノロジーにばかり頼っていると、与えられることが当たり前になり、「考える」という能力が落ちてしまい、もとに戻るには大変な苦労をすることになります。

ＡＩや検索はあくまで「情報」であって、しかもその情報の精度は不確実です。それらは生きていくことの本質を教えてくれることはありません。

先に書きましたが、答えは一つではないし、答えを見つけることが目的ではありません。「正しい答えを早く見つけようとしない」というのも、一つの心がけです。「これが答えかな」と思ったとしても、そんな答えはすぐに違う答えに変わっていくのが現代社会です。答えは無限にある、答えにこだわらない、という考えは大事です。

試行錯誤したり、いろんなものを疑ってみたりする。さまざまな側面から考えることで、自分自身が向かうべき道が見つかるのです。

旅で体験する、右へ行こうか、左に行こうか、その判断を自分で決めることにこそ旅の醍醐味(だいごみ)があるように。

読書を忘れない

「考え続ける」ことで積まれていくのは心の経験だと思います。

心の経験を積むことを忘れてしまうと、物質的なもの、形あるものにしか、しあわせを感じない、もしくは求めない人間になってしまう気がするのです。それは、とても不幸なことではないでしょうか。

形あるものにしあわせを求めない。目に見えないものから豊かさを感じていけるような人間でいたい。いつもそう思います。そうあるためには、やはり、心の経験が必要なのです。そのためには、情報の洪水に流されずに、じっくり考え続けるための助けとなる「知」が必要です。

この「知」や、「学び」というものは、インターネットからはなかなか得られません。では、どこから得られるのか。まずは本というメディアからであると思っています。

本を読むことを習慣にする。たったこれだけで人生が変わる。僕は心からそう思っています。忙しさや面倒くささにかまけて読書を忘れてしまうと、刺激も薄れ、知性の吸収の機会を失うことにもなります。

本とは一つの「線」であり「面」です。たとえば、一冊の専門書を書くときには、膨大な数の参考文献が脈々と連なってくる。そしてそれぞれの線が繋(つな)がって、線が編まれて面になる。読むものにとって確かな説得力をつくり出していきます。

インターネットは、そもそも、切り取りや、速報みたいなことを得意としています。ですから、本の性質とはだいぶ異なります。インターネットによって助けられることはもちろんありますが、本を読むという体験を通じて、知性は読むものの中に育まれるのです。

本は、言ってみれば、人間が一つのことに興味を持つところから蓄えられた収束です。収束とは散らばっていたものが整理されまとめられること。

本を書いたひとが考え抜いた時間の先に生まれる収束という真実。知性は常にその真実に包まれているのです。

そしてまた、読書とは独りになること。独りになるという贅沢（ぜいたく）を楽しむ最大の体験でもあるのです。

感動したら調べてみる

誰かが書いた本を読み、知性を吸収し、深い感銘を覚えたら、その著者が、どんなひとなのかを調べたくてたまらなくなりませんか。

この著者はどんなものを読んできたのか。

この著者はどんなものに影響を受けてきたのか。

こんなふうに深く掘り下げてみると、表面的には見えなかった秘密や本質が、少しずつ見えてくることがあります。それは僕だけが知る大きな発見です。

一冊の本、一人の著者からはじまって、次から次へといろいろなものを読んでいくことは、読書体験における大きな学びです。

よく、あらすじを見て、何となく読んだ気がして終わらせてしまうことがありますが、それではもったいない。あらすじは、あくまで「前口上」です。じっくり読んでみて興味を持ったら、次にはその一冊の本に影響を与えた本や著者を探してみる。そんな「たどっていける楽しみ」も、本を読む醍醐味だと思います。

ああ、この作家に影響を受けたのか、この事件に胸を痛めたのか。枝と葉が広がると、著者が目にしていた世界が疑似体験できるように、目の前に広がってくる。

そうしたら、こんどは著者が影響を受けたひとの本を読んでみる。著者が生きていた時代には、どんな音楽が流行していたのかを調べてみる。文学と、音楽やカルチャー、そしてそこから漫画や映画へと繋がっていくこともある。時間がいくらあっても足りないぐらい、興味は広がっていきます。

読書の最大の楽しみは、物語や内容の良し悪しではなく、著者が「なぜこの本を書かなければならなかったのか」を知ることにあると思います。

そんな楽しみを味わえるのは、本だけではありません。音楽や、アートの世界にも似たところがあると思います。音楽やアートの世界で、ある日突然、独創的なものが現れたと思うことがある。でもたぶん、それらの作品には元になるものがあるはず。ピカソであろうと、マチスであろうと、その作品が生まれた源流があるはずです。

「ビッグバン」のように、いきなり新しいものが生まれることは少ない。

そんなことを、あれこれと読書をしながら深掘りできるということは、とてもしあわせなことです。そうして見えてきた世界を知ることは、自分を広げることになるのです。

孤独でも、ひとりじゃない

国や文化が異なれば、考え方はいかようにも広がるし、同じ国の同じ年代でも、考え方の異なるひとが生きている。それを知ることがたいせつです。

さまざまな本を読んでいると、他人を受け入れられるようになってくる。

なぜなら、人間のいろいろな人生やそのバリエーションを知ることができるからです。

昔の本を読んでみると、それがよくわかります。読み進めていくと、昔のひともいまのひとも悩みが似ていることに気づくのです。恋に悩み、家族に悩み、仕事や人間関係に悩んでいる。「自分だけではない」ということを知れば、いま抱えている不安が和らぐきっかけになるのではないでしょうか。

本を読むことは、楽しみだけでなく、ある種のセラピーでもあることをよく感じます。

本に「答え」を求めるのではなく、「きっかけ」との出会い、というのが、重要なのです。

昔の本を読めば、時代を超えて、一〇〇年前、二〇〇年前の著者と会話ができる。そんな特別な時間を味わえる。悩んだり、迷ったり、考えたりすることが今も昔も大体似ていることに気づくと、「一人じゃないんだな」と実感できます。

社会や文化は変わっても、過去何百年も前から、同じようなことを、みんな感じて、同じようなことを悩んできたのです。不安に思ったり、恐怖を感じたりしていることがわかると、「だったら、そんなに悩むこともない」という気分になってくるから不思議ですね。

もしも孤独を感じて眠れない夜があっても、ふと本を読んでみると、「自分だけではない」という気持ちが湧いてきます。孤独を忘れさせてくれるひとが自分にいなくても、本の中にいろんな世界が広がっている。たくさんのひとがいる。それが本の楽しみ方であるし、本には生きていくヒントが詰まっているのです。

『吾輩は猫である』などで知られた夏目漱石の発明は、「おもしろくたのしく読みやすい本を書くこと」だったそうです。それまでの小説は、堅苦しい文章が主流だったのを、落語の好きな漱石は読みやすく変えたのだといいます。それを知れば、僕の興味は、当時の落語に向いていきます。

一冊の本から、学び、深掘りはいくらでもできるのです。

夜、ベッドで、スマホばかり見ていては、もったいないと僕はつくづく思います。

Chapter 4
まとめ

まだ大丈夫、は禁物

正しい答えを早く見つけようとしない

本を読むことを習慣にする

感動したら調べてみる

昔からみんな同じ悩みを持っている

Chapter 5

人間関係にとらわれない

適度な距離感を

何度も寝返りを打ちながら、なかなか眠りにつくことができない。

誰にでもそんな夜はあるはずです。そんなとき、僕は、決して悩まずに、まあ、そんな日もあるよねと思うのです。

そして、自分なりの眠れないことへの向き合い方を、楽しむかのように考えてみます。そんなふうにベッドの中で、あれこれと考え続けていると、いつしか自分自身の生き方や、日々の暮らし方を整えていくケアにつながっていくのです。

この、「生き方をより良くするために整える」というケアとは、自分自身の点検のようなものです。心の隅々まで点検してみる、考え方はどうかの点検、行動一つひとつの点検をこまかくしていくのです。傾向はどうだろう。偏っていないか。誤っていないかと。

これらは大げさに言えば、人生そのものを変えていくきっかけになるのです。僕自身、こうしたケアを通じて、点検と整えを積み重ねていくことで、いつの間にかよく眠れるようになりました。それどころか、もっともっと大きな、人生を考え直す機会を得たように思います。

日々の仕事や人間関係、そして、暮らし。人生そのものが改善されていきました。「ケアをすること」と「眠れる」ことによるメリットが、こんなにもいっぱいあるなんて、自分でもびっくりしているぐらいです。

大きく変わったメリットの中でも大事な「人間関係」について、あなたにお伝えしようと思います。

僕ぐらいの年齢になってくると、経験として、何となくわかってくるのですが、仕事やプライベートで、ひとに会って、「あ、ちょっと、やりづらそうだな」「苦手なタイプだな」と感じるような相手とは、無理に近づかずに距離を保つようにしています。

二〇代、三〇代の若いひとたちは、まだ若いし、経験が豊かではないから、苦手なひととも、真っ向からぶつかってしまいがちです。言葉にしないまでも、態度で不平不満をぶつけてしまいがちではないでしょうか。もしくは我慢してしまうとか。とにかく心の中にいら立ちを抱えてしまうことが多いはずです。そうすると、夜、ふとしたときにそれを、「あれはどうしても許せない」と思い出してしまい、眠れなくなってしまうのです。

若いころはそんな経験が何度もありました。でも、歳を重ねたいま思うのは、「ちょっと、ひとのいうことや、されたことを真に受けすぎなのでは?」ってことです。

子どものころから僕たちは、「誰とでも仲良く」「なにかあっても我慢する」と教わってきました。たしかに、誰とでも仲良く、まじめに向き合うことはたいせつです。でも、ちょっと考えてみてください。もともと人間は1

00%わかり合える存在であるはずがありません。どんなに近しいひとだって、どんなに大好きなひとだって、100%わかり合えるなんて、あり得ないことです。そのことを、どうか知っておいてください。

生きていると、人間関係において、いろいろなことが起こります。想像もしていないところで、互いの感情がもつれたり、衝突が起きたり、びっくりするような些細なことを根に持たれて、こちらのまったく知らないところで反感を買っていたりすることも、よくあるものです。そういうことをいちいち気にしていたらそれこそ身が持ちません。開き直るというよりも、ま、いいか、しょうがないとあきらめていいのです。

苦手なひとと、どうしても向き合わなければならないときには、自分の「一番弱いところ」を突かれてしまわないように、相手の出方をじっくりと見きわめ、弱いところを守ることを第一に考えるのです。

「一番弱いところ」というのは、感受性が敏感なところとでもいいましょうか、ほんの些細なことでも嫌だなと思うところです。そこを守るためには自分の「一番弱いところ」がどこなのかを、あらかじめ知っておくこと。それがたいせつだと僕は思います。では、どうやってそれを見つければよいのでしょうか。それは、眠れない夜に見つけて、覚えておけばよいのです。

たとえばそれは、外見のことかもしれませんし、過去の話かもしれません。態度や言葉遣いかもしれません。妬みや嫉妬かもしれません。家族のことかもしれません。仕事や友だちのことかもしれません。

そういう自分の弱点をわかっていれば、「強いところ」もわかります。弱点さえ守ることができれば、致命的な傷は避けることができるはずです。それは「逃げる」ではなく、「守る」というイメージです。ちょっとでも「守る」ということを、常に心に留めておけば、いままでよりはリラックスして生きていけるはずです。

人間関係において、苦手なひとと正面からぶつかり合ってしまうと「守る」ことはできません。そのためにも、一歩引いて、適度な距離感を保つようにしておけばよいのです。

簡単に懐に入らない

もしかしたらあなたは、「仲良くなること、イコール良いこと」と思い込んでいないでしょうか。

そして、「仲良くならないこと、イコール良くないこと」と考えていませんか。

とくに春になると、入学式やクラス替え、入社式、部署異動などで、新しい人間関係が生まれます。同時に、できるだけ仲良しのひとをつくらなければ、と、焦ったりするものです。

でも、僕は、「ちょっと待って」と思うのです。

さみしいからといって、うっかりひとに好かれようと努めてはいけないと思うのです。そのために仲良くしようとしないこと。それよりも、まずはひととしてたいせつなことをたいせつに生きる。一人でいられる自分であることが大事なのです。

とはいえ、日々を暮らしていく中で、人間関係のことをまったく気にせずに生きていく、ということは、難しいことです。誰もが、誰かとつながって生きているからです。

では、人間関係の最終的な目的は何なのでしょうか。

僕は、「仲良くなること」ではないような気がするのです。

親しくなろうとして相手に合わせるあまり、ひととしてたいせつなことを忘れ、自分が窮屈になってしまう。そんなことより「適度な距離感で付き合っていく」ことのほうが、何倍もたいせつだと思います。若いころの僕には、それがわからなくて、つらい日々を送った経験があります。

やっぱり、一人でも多くの友だちをつくって、仲良くなりたい。好かれたい。みんなで集まるイベントがあるのなら、いつでも呼ばれる自分でいたい。そう考えて、どんなひとに対しても笑顔で接し、自分の意見がちょっと違っていても、口をつぐんでいました。八方美人的に、一所懸命つくり笑いを浮かべながら、みんなの話に合わせていたのです。

そんな毎日を送っていれば、友だちも飛躍的に増えていきます。遊びに行く機会も、どんどん増えていきます。でも、僕は次第に気づくようになりました。友だちが増えるということは、そのぶん、人間関係のストレスも増え、同時にわずらわしいことも起きやすくなるということに。

「このひとと仲良くすると、あのひとと仲良くできないな」

「どっちも友だちだけれど、彼と彼女は、もう別れてしまったし、どちらの約束を優先させようか」

そんな些細なストレスが、次々に生まれてきました。そして僕は、どんどん面倒ごとに巻き込まれるようになったのです。

「こっちの誘いを断ったのに、なんで、あっちの集まりに参加しているの?」

そう思われたりすると、自分なりの言い訳をいちいち考えなければなりません。そんなことが増えてくると、苦痛以外のなにものでもなくなってしまいます。

友だちや知り合いが多いことが、一番たいせつだと思っていたのに、結果として、自分自身が疲れてしまうことになりました。友人同士の仲たがいもあったし、僕の言った言葉のせいで、仲間割れが起こり、「どっち側なんだ?」と板挟みになってしまうこともありました。

それどころか、僕はいちばん大事なものを失ってしまったのです。友だちとの関係を良好に保つために忙しくしているうちに、「自分と向き合う時間」をまったくなくしてしまったのです。それは、仲間割れによる苦痛と同じぐらい、僕にとって大きなストレスとなりました。

そして、僕は気づいたのです。「友だちをたくさん増やしても、いいことなんてない」のだと。

それからは、あえて、友だちから距離を置いて、一人の時間を増やし、自分自身と向き合うことをたいせつにするようにしました。

引きこもるのではなく、一人でいられる自分をつくる。いわば、誰ともつながっていなくても平気な自分でいる。そして、誰かと一緒に、という考えを持たない。他人や社会に流されるのではなく、自分の人生を生きる。そのために必要なことはなにか。学ぶべきことはなにか。変えるべきことは何かを考えました。

かんたんではありませんが、そう考えるようになった僕は、自分自身の心が凪（な）いでいき、だんだんおだやかになっていくのを感じることができたのです。

僕にとって、自分自身と向き合う時間を持っておくことが、どれほどたいせつなことだったのか、そのときに痛感しました。

誰でも子どものころには、自分の気持ちに蓋をして、無理やりグループに属したり、大勢の意見に合わせようとしたりしてしまいがちです。教室で、一人でいると「かわいそう」と思われるから、できるだけ群れようとしてしまいがちです。けれども、大人になると、一人でいることは、かわいそうなことでも恥ずかしいことでもないとわかります。

他人と群れずに、適度な距離感を保つことで得るメリットは、心をおだやかにできることだけではありません。ひとに対し、誠実な態度を取れるようにもなります。ここちのよい距離感を保つことで、さまざまなストレスは減っていくし、自分を見失わず、心がおだやかな状態を保って築く人間関係のほうが、長く続いていくのです。

生きていると、思いもよらぬタイミングで、さまざまなトラブルが身に降りかかってきます。もしくは感じることがあります。良い関係だと思っていた相手の態度が、急に変わってしまうようなこともあるものです。けれども、常に距離感を保つ、自分を見失わない、ということを心がけていれば、少なくとも「よける」ことができるのです。

もう一度言います。さみしいからといって、ひとに好かれようと努めてはいけません。それよりも、まずはひととしてたいせつなことをたいせつに生きる。一人でいられる自分であることが大事なのです。

大きな期待をしない

人間関係の話を、さらに続けましょう。

僕は、どんなに仲良しだとしても、そのひとに対して「大きな期待」をしないということを、いつも心がけるようにしています。

そもそも「期待」って、とってもわがままな感情だと思いませんか。

勝手に、そのひとのことを持ち上げて、このひとなら、自分の望み通りに動いてくれるはずだ、それどころか、自分が望んでいた以上のパフォーマンスをしてくれるはずだ、と思い込んではいないでしょうか。そういうことは、とてもおこがましいことだと僕は思うのです。「おこがましい」というのは、自分勝手だ、と言い換えることができるかもしれません。

あなたは、僕が「大きな期待をしない」などというと、なんだかすごく冷たい印象を抱くかもしれません。

でも、僕は、自分が冷たい人間などとは思っていません。むしろその逆です。「大きな期待をしない」という気持ちにたどり着いたのは、人間関係のストレスの多くは「期待」が原因であり、その期待とは、あまりにも一方的だと気づいたからです。

誰でも、悪気がなくても失敗することはあります。僕だって、なんとか自分なりによりよい生き方をしていこう、心地よい生き方をしたい、とは、いつも思っています。

でも、どう考えても、僕自身、完璧な人間ではないし、そもそも完璧な人間など、どこにもいるはずがありません。「誰もがみな、不完全である」ということを、前提にしておかないと、いけないのです。

それを前提に考えてみると、相手に対して「期待」の気持ちを持とう、だなんて、あまりに勝手すぎると思ってしまうのです。そう思いませんか？

みんな、まじめに生きているとはいえ、他人の期待に応えるために生きているわけでもありませんし、どうしてもできないこと、失敗してしまうことは、いっぱいあるはず。そんなつもりはなくても他人に迷惑をかけてしまうことも、たくさんあります。「ひとは不完全である」という、その前提を、僕は忘れないようにしたいのです。

「大きな期待をしない」ということは、相手に尊敬の気持ちを抱かないということではありません。信用しないことでもありません。

僕は、仕事で出会うひとたちから、いろんな刺激をもらってきました。たとえば、同僚や先輩たち、取引先や関係者といったひとたちは、いろんな現場に行って、いま起きている最前線のトピックを知り尽くしています。いま、いちばんおいしいお菓子をつくるパティシエは誰か。この近くで、おだやかな時間を過ごせるカフェはどこか――。四方八方にアンテナを張って、情報の最先端を追いかけて生きている。そんな彼ら、彼女たちから聞く話は、じつに刺激的です。

僕自身の足で情報を集めるのには、限界がありますし、そう簡単に、あれこれと話を聞くこともできません。僕は彼らに深い尊敬の念を抱いています。

僕自身の仕事と直接の関係がなくても、たとえば、みずみずしい野菜を育てる農家のひと、長時間の仕事をしても疲れにくい椅子をつくってくれたひと、体調を崩したときに駆け込めるお医者さまなど、さまざまな側面から僕とかかわり、僕を支えてくれるひとがいます。そうしたひとたちのことを、僕は深く尊敬するし、そのひとたちの存在を忘れないで生きていきたい。

でも、そんなひとたちだって、完全なひとではないのです。期待をしてもできないことはある。日本で活躍するカメラマンでも、海外ロケではうまく行かないこともある。優秀な医師に、人生相談をしても的外れな答えをされることもあるでしょう。もちろん、どんなひとにも「不完全」なところはあるのです。「不完全なひとたち」で成り立っているこの世界で、尊敬の気持ちを抱きつつ、信頼しあい、風通しよくお互い生きていきたい。完全を求めない。そう僕は考えています。

ひとは自分の思うままにならないのが当たり前なのです。そのひとなりの人生を生きているのですから。

SNSとの向き合い方①「いいね」を気にしない

電車に乗っていると、向かいに座っているひとのほとんどが、スマホに夢中になっていることはないでしょうか。それどころか自分もそうかもしれません。

ニュースサイトを見ているのかもしれないし、株価をチェックしているのかもしれません。ゲームをしているひともいるでしょう。でも、「きっと一番多く見ているだろうな」と思うのは、「SNS」。ソーシャル・ネットワーキング・サービスのアプリではないでしょうか。

X（旧Twitter）、Instagram、TikTok——。SNSでは、誰もがみな、自由に意見や情報を発信できます。ひと昔前までは、雑誌や新聞、テレビ、ラジオだけだった「情報メディア」が、今や、自分自身の手のひらの中にあります。そして、フォロワーが多ければ多いほど、「インフルエンサー」として、影響力を持ち、世間から一目置かれるようになります。LINEは、友だち同士で繋がって、会話を楽しむツールとして、すっかり定着しているし、僕自身も使っていて、家族や友だち、仕事仲間との連絡に役立っています。

現代社会において、SNSは、自分の価値をはかる、一つの大事なツールであることは間違いないでしょう。けれども、僕が気になっていることがあります。

それは、「自分という人間を、そんなに大っぴらに見せる必要はあるのだろうか……」ということです。

仲良し同士の関係性って、楽しいときはそれでいいと思います。けれども、それがいつ、つらいものに変わり、自分や相手に対して禍をもたらすことになるか、わかったものではありません。人間関係というものは、雪のようにはかないものです。美しく見えていたものが、ある日突然、関わるのがおっくうになって、見るのもつらくなるかもしれません。だからこそ、親密な関係性を、SNSで築こうとするのは避けたほうがいいと思うのです。

作家やアーティストの中でも、自分の仕事を広く知ってもらうことを兼ねて、SNSをこまめに更新し続けるひとがいます。僕もその一人です。どうしても「いいね」の数を気にしてしまうのもわかります。しかし、気にすぎてそれがストレスになるのは考えものです。

自分が発言したことについて、何人が「いいね」をつけてくれたのか。どんなひとが「いいね」をくれるのか。

そんなことばかり気になってしまい、夜中じゅう、起きてしまう。それでは身体にも心にも極めて不健康だし、自分にとってメリットは何もありません。

ＳＮＳは一長一短。誰とも知らぬひととのつながりに期待をしてはいけないように思います。

特に夜、ベッドに入ったら、スマートフォンは電源を一刻も早く切って、目をつむる自分でいようと努めたいのです。

ＳＮＳとの向き合い方②　評判を気にしない

自分の名前や、関わっている会社や組織、サービスを検索して、書かれた投稿や記事を調べることは、「エゴサーチ」と呼ばれています。いわば、評判を知るということです。

検索機能というものは、何か調べものをするときには、その手がかりとして、とっても便利なものですが、「エゴサーチ」で自分もしくは自分に関係するものの評判を知ることは、それほど意味があることなのかと疑問を持ちます。客観的に捉えられればおもしろいのかもしれませんが。

そこに書かれた評判がよい場合はこれほど嬉しいものはありません。しかし、わるい場合はショックを受けてしまうでしょう。もちろん、その評判を一つの課題として受け取り、よりよくしていく努力をするということは決してわるいことではありません。けれども、その評判がどれほど正確であり、どれほど本質的なのかわかりません。

僕自身は、InstagramとXを気ままに更新するぐらいですが、時々、「松浦さん、この前の投稿は、けっこう大きな反響がありましたよ」と教えてもらうことがあります。

そうすると、どうしても気になってしまいます。どんなふうに受け止められたのか。褒められているのか、けなされているのか。だけど、それでも「エゴサーチ」して、いいことは、何一つないと思うので、僕は見ないようにします。評判は気にはなるけれど、気にしない。

それよりも自分の発信に責任を持つこと。自由であり、発言の権利があるとはいうものの、それはほんとうにひとをしあわせにすることか、と意識するのは、ＳＮＳにおける最低限の作法かと思います。

自分なりに、ＳＮＳとの接し方を、考えていく必要が、一人ひとりに求められています。それはとっても大変なことだし、評判が不安で眠れなくなるほど画面を眺め続けるぐらいなら、そもそも書かなければいいのです。

よい評判もたくさんある。よくない評判もたくさんある。それが自然ですから、一つひとつを気にしないことにしよう。評判を追いかけることはやめる。

自分にとって本当に知るべき評判であれば、自然と知らされるはずです。

SNSとの向き合い方③　チャットやLINEに注意

遠くのひとたちとも会話が楽しめる、チャットやＬＩＮＥ。僕自身も、日ごろお世話になっています。けれども、やはり他人との距離感を保つことを忘れないでいただいたいと思います。

その日に起こったことを、何でもかんでも話して、何でもかんでも見せますよ、っていう距離感の近さは、仲良し同士だったら楽しいかもしれません。けれども、こうしたツールで距離感を一気に縮めてくるひとがいた場合、ちょっと注意が必要だと僕は経験上思います。

一緒に働いているオフィスの仲間に対して、僕は、「いつでも話を聞きますよ」という姿勢をアピールしています。それは、リアルで接している仲間でありますし、業務は自分の責任下でもあるので、そうした姿勢を見せています。

ところが、それほど関係性が深くないのに、おしゃべり相手として立ち入ってくるひとが、時折いて、そのたびに僕の心の中に黄色信号が灯ります。適度な距離感を保たなければいけないはずが、うっかり、相手から急に突っ込んだ質問をされたりすると、ついつい、それに乗って、感情的になって答えてしまったりする。一度、キャッチボールをしてしまうと、その次から、矢継ぎ早にメッセージが来たりする。しかも、文章の末尾が質問口調になっていて、さらに返信しないと、自分が無視したみたいな感じになってしまう。

これは、たいへんな事態だ――。そんなことになりかねないのです。

大事な話は、チャットやLINEではしないこと。チャットやLINEを会話ではなく連絡ツールとして考える。

心得はおしゃべりではなく連絡に徹することです。スマートフォンを片手に、気楽に何でもメッセージを送れるぶん、なおさら、自分のペースを乱さずに、一定を保つ、ということは、常に心がけておく必要があると思います。

メールの返信は、長くて五行を心がける

時々、ものすごく長いメールが届くことがあります。

そんなメールが届いたとしても、僕が送る返信メールは、長くても五行。

そう決めています。

相手が、長いメールを送ってきたから、長い返信をしなければいけない、そんなルールはどこにもありません。

五行、と聞いて、「え、短すぎない？」と思ったひとも多いと思います。

でも、たとえばこんな文章なら、どうでしょう？

「〇〇様
ありがとうございます。
水曜午後三時、渋谷でお打ち合わせとの旨、承知しました。
〇〇の案件を進めたいので、〇〇の資料をご準備ください。
よろしくおねがいします。
松浦」

メールの返信はシンプルに、けれども、相手からの日程の提案についての返事や、そこでやりたいこと、それまでにやっておいてほしいことなどが、簡潔に伝えられます。それ以上に、ダラダラと書く必要は、このメールではとりあえずありません。

そして、厳密ではありませんが、「長くても五行」というルールをつくっておくと、仕事上で頭の切り替えがクリアになってきます。五行以上書かなければいけないような場合は、僕は直接、その相手に会って話す、もしくは電話で話すことにしているからです。

　メールのことで、もう一つ。これは自分も注意するべきことですが、そもそも、返信しにくいメールは書くべきではありません。

「これを送ったら、相手は返事や対応に困るんじゃないかな？」と、気づかないといけません。相手がもらって困るようなメールは、初めから送らないようにするべきです。

　やはり、ここでも常に距離感をキープしておかないといけない、ということです。たとえば、長文メールを送られるということは、読んで対応してくれると思わせた自分に原因があるのです。もしくは、そのくらいの迷惑や失礼を相手にしてしまったと自戒をするべきなのです。

Chapter 5

まとめ

苦手なひととは適度な距離感を

さみしいからといってひとに好かれようとしない

ひとに大きな期待をしない

「いいね」を気にしない

エゴサーチをしない

大事な話はチャットやLINEではしない

メールの返信は長くても五行で

Chapter 6

「知る」ではなく「わかる」を

お金リテラシーの変化に気づく

目を閉じて、いざ眠りにつこうとするとき、ふと、思いついて、こんなことを考え始めて、もんもんと悩んでしまうことはありませんか。

それは、これから生きていくうえで、自分の将来どうなってしまうのかなあ、ということ。

日中はとにかく忙しいので、目の前に積み重なった課題や仕事を、こなすのに精一杯です。とてもそんなことをゆっくりと考える余裕はありません。

ところが、静かな夜、暗闇の空間に身を置いていると、いつの間に、どこからか、不安なきもちがふわふわとやってきて、これからの未来のことが気になってしまう。ひとたびそんなことを考え始めると、なかなか眠れなくなってしまうのです。

とりわけ、お金のことについて、この先、ほんとうに大丈夫なのかなあと、不安な気持ちを抱いてしまうひとは少なくないと思うのです。

たとえば、いま、身にふりかかっている現実的な問題として、借金で困っているひとや、仕事を失ってしまい収入がなくなってしまったひと、それから、つらい仕事のわりに、それに見合ったお金が支払われていないひと。そういうケースでは、不安の原因は、はっきりしていますから、その不安を解くカギは、じつはシンプルです。

公共の相談窓口をたずねたり、ほかの仕事をさがしたり、解決の手がかりになるような対策は、すぐに思いつくでしょう。ですので、ひとまず、眠りにつく時間だけは、そのことを、できるだけ考えないようにして疲れをとるしかありません。

しっかりと疲れをとったら、また翌日から解決のためにリサーチをし、行動にうつしましょう。行動は必ず解決の扉を開きます。

借金や仕事を失うことは、たしかに大きな不安だと思います。けれども、夜、眠りにつく時間に考えていても、仕方がありません。

ノートに悩んでいることを書きだしてみる。まずはしっかりと現実を理解することです。現実から目をそらさないことです。そして一つひとつ順を追って解決のための行動を始めましょう。どんなに小さなことでも、行動することによって事態は解決に向かうものです。何もしないということがいちばんよくないことです。

いっぽう、やっかいなのは、こうしたケースです。それは、ただ何となく、この先のお金のことが不安になって、なかなか眠りにつけない、という悩みです。そういえば、「老後のためには二〇〇〇万円蓄えておきましょう」というコメントも誰かが広めていましたね。そんなこと、本当にできるのだろうか、などと先の未来を心配し、寝つけなくなってしまう。悩みではなく心配。こういう夜は始末に負えません。

でも、「そもそも」と僕は思うのです。

そもそも、お金そのものについての概念は、昔と比べて、いまはだいぶ変わってきているのではないでしょうか。最近は、「お金、イコールしあわせ」には必ずしもなってない気がするのです。

あなたの心配は、実は心配するべきことではないのかもしれません。

僕が若かったころは、「お金がすべて」という考え方を持つひとが、とても多かったように思います。お金さえあれば、できることは無限大に膨らみます。だから、とにかく稼ごう、そして蓄えよう――。僕もその風潮に触れてきましたし、親の世代は特にそうだったのではないでしょうか。

あなたはなぜ、仕事をしているのですか、と聞かれれば、一昔前なら「それはお金のためです」と、即答していたと思うのです。「お金がすべて」という、すり込みを、いつの間にか、頭の中にされてしまっていたのではないでしょうか。それなら、その概念を捨ててしまいましょう。

少なくとも、いまの若いひとや、これからの時代を生きるひとたちには、そういった考え方は薄まっていると思います。そして、いずれは、もしかしたら「お金がすべて」という考え方は、消え去ってしまうかもしれません。
それよりも、ほんとうの豊かさとは何か、それはお金でもモノでもなくて、心がいかにおだやかさで満たされていくかだ、ということに気づいているひとが増えているように思います。そしてすでに、その兆しは現れている気がするのです。

ついこの前までは「お金リテラシー」なんて言葉は、ありませんでした。リテラシーは、読み書きをする能力を意味していましたが、現在では、ある分野についての知識とそれをいかす能力のことを指すことが多いようです。「お金リテラシー」とは、いわばお金に関する新しい知識とかしこい使い方ということになるでしょうか。

いまの二〇代、三〇代のひとたちには、新しい「お金リテラシー」がすでに備わっているように思います。お金は大切なものの一つですが、お金、イコールしあわせではないという考え方で、それよりも自分らしい生活に価値を見出(みいだ)しているように思います。

ネットで新しい考え方や情報をつかみながら、お金のしくみ、お金のあり方について、自分なりの考え方を持っているのでしょう。そんなふうに、お金の概念そのものが変わってくると、その価値をどう捉え、自分なりにどういかしていくか、という、「お金リテラシー」が、どんどん変わっている。これはとてもすてきなことだと思っています。

「お金リテラシー」の根本にあるのは、「お金との新しい付き合い方」っていう概念だと思います。昔だったら、「貯金しましょう」ということが良いことだとされていましたが、いまは、「貯金するだけでは意味がないよね、もっと運用しなきゃね」と考えるひとが増えてきました。いかに価値のある活用をするかに変わってきているのです。

さらに、新たな発想も生まれました。

それは、「どうせお金を使うなら、ポイントバックを狙っていこう」というポイ活志向の発想です。きっとあなたも、電子マネーやクレジットカードなど、さまざまなアイテムを駆使していることでしょう。

これらのアイテムを使って、お金を支払いつつ利益を見出しているのです。ただ貯金するだけでは、これからの時代は「お得」とは言えないかもしれません。いわば戦略的に運用に加わっているのです。

この発想を持つひとが、いま、増え始めています。ちょうど、古い考えから新しい考えに生まれ変わっている時期が、いまなのです。そんな「お金リテラシー」の変化にいち早く気づき、できることから、こつこつと始めていく。新しいリテラシーを、自分の中にインストールしていくことで、漠然とした心配は逆にどんどん減っていきます。

要するに、心配の原因の本質は、「わからない」ということ。お金についての最新の概念、情報と知識を学べば、その心配は消えていくでしょう。どんなことでも「わからない」のであれば、わかればいいのです。その努力をすればよいのです。

単純に、お金がないことの困りごとは、生活の仕方や仕事に対する考え方を改めれば、意外にも、すぐに解決するものなのです。

「お金＝信用」の時代

少し前までは、お金がなければ、何も始めることができませんでした。しかも自力自腹が正しいとも思われていました。苦労が美徳だったのです。ですので、お金といえば、「価値」そのもの。お金こそがすべて、と考えるひとがほとんどだったのも無理はありません。

たとえば、「会社をつくろう」と思いついたとします。まずはいくばくかのお金が必要です。まとまったお金を用意しなくてはいけません。それを資本金にして、そこでようやく会社をつくって、ずっと胸に温めてきた事業をはじめて実行に移していたのです。

ところがいまは、違います。

お金を、一円も持っていなくても、会社をつくることができるようになりました。法律が変わったのです。それに、ネットを使ってクラウドファンディングへの支援を呼びかけて、あなたの事業のアイデアに賛同し、出資してくれるひとたちが現れれば、お金を集められるようになりました。

つまり、お金を持っていなくても、信用を得られれば良いのです。お金がないことは特段、恥ずかしいことでもない。

現実に、そう考えるひとたちが、クラウドファンディングを通じて、事業を始めたり、世界を旅して活動したり、これまでは叶うはずもなかったような夢を実現させることが増えました。

突き詰めていくと、「お金こそがしあわせ」という時代は、終わりに向かい始めていると僕は思っています。そんなふうにお金に対する価値観、世界観が変わってしまうと、これから先、そのぶんお金にまつわる悩みも変わっていくのだろうと思います。

もちろん、明日のごはんにも困るほどのひとが抱える悩みは別として、日々を生きる多くのひとにとって、お金の悩み、もしくは心配については、どれが正解か、この先、どんどんわからなくなっていくと思います。

これまでは、お金を「目的」や「価値」と捉えていましたが、最先端の発想をしているひとたちは、お金のことを「道具」と呼んでいました。「目的」ではなく、「道具」です。自分の「目的」を果たすために、それを「どうやって」使うのか。そういう考え方だと教えてくれたのを思い出します。

けれども、これからの世代は、「お金、イコール道具」という考えから、さらに先を進んでいくと僕は予想しています。僕の想像では、これからの世代が築こうとしている考えは、「お金、イコール信用」になっている。そう思います。

お金は「目的」でも「価値」でも「道具」でもなく、「信用」。社会からいかにして多くの信用を集めるか。あらゆることが可視化されていく時代において、信用こそがもっとも価値のある財産になるのです。いわば、お金とは、使い方で生まれる「信用」なのです。さらにいえば貯めるのも、運用するべきものも「信用」なのです。

こういった移り変わりを経て、いまの世の中では、お金のありがたみ、価値がそれほど重要視されなくなっているようにさえ、僕には思えるのです。実際に財布を使わない時代といいますか、紙幣や硬貨を持ち歩かない暮らしがあるのです。

すでに、「給料は仮想通貨で支払います」「電子マネーで支払います」なんていう会社も出てきています。仮想通貨で家賃も払えるし、買い物もすべてこなす。そうなってくると、いよいよ実態を失って、お金は、目には見えない「概念」に近づいていくと思います。

たった十数年前には、想像もつかなかったような未来が、すでにはじまっています。めざましい変化の時代に生きているという自覚を、僕もあなたもきちんと持って、時代から取り残されることのないように、常に情報をアップデートして行きましょう。

僕もあなたも、他人事ではありません。新しいトピックを、常にリサーチし続けることしか、この世界で生き延びていくことはできません。

なかなか、大変な時代になってきました。考え続けていたら、夜も眠れなくなりそうですが、でも、だいじょうぶ。あなたも、僕も、みんな同じ世界を生きています。あなた一人の悩みではないのです。

お金の使い方の技術を磨く

お金の使い方をめぐる世界が、ここ最近で大きく変わっています。

お金についての新しい考え方は、「目的」でも「価値」でも「道具」でもなく「信用」。「お金、イコール信用」であるから、どうやって信用を使って、お金を操っていくかが、たいせつになっていきます。そのスキルが、僕にも、あなたにも、必要とされているのです。

価値観が変わってしまったことを説明するうえで、わかりやすいのが、先ほどもお話しした「クラウドファンディング」ではないでしょうか。ほんの十数年前までは、ちょっと考えられなかった行為だと思いませんか。ネットの発達と密接に絡まって、昔だったら非常識と言われたことが、いまはあたりまえのことに変わってしまった、象徴的な例だと思います。

もともと、僕を含む多くのひとたちが、お金について抱えてきた悩み、といえば、借金を重ねてしまうことでした。

欲望がふくらむあまり、現実を、冷静に判断できなかったという反省がありました。

「毎月、分割で支払えば、たぶん大丈夫だろう」

そんな軽い幻想を抱いて、つい使ってしまううち、雪だるま式に借金がふくらみ、眠れなくなったひとが、いっぱいいたのです。

いまも、同じような悩みを抱えているひとは、少なくはないと思いますが、これから将来は、もっとお金に関する悩みが多様化していくかもしれない。そう思っています。

電子マネーやクレジットカード、マイルを使いこなしているうち、「労働」として汗をかいたわけでもないのに、気がつけば、お金の使い方次第で知らず知らずのうちにポイントが貯まって、かなりの金額に相当するものを手に入れていたりする。また、貯まったマイルを使って、海外旅行を楽しむひとも多いでしょう。でも、こんなこと、少なくとも僕が若いころにはまったくなかったことでした。

飛行機に乗っただけで、コンビニで飲みものを買っただけで、ポイントが貯まっていく。そんな、新しい世の中になったいま、「じっさいのお金は、ほぼ使わない」ひとも現れ始めています。お金を払えば払うほど、雪だるま式にポイントが増えていき、その結果ポイントだけで、生活ができてしまう、というひとがいるのです。

お金の価値は、昔とはまったく変わってきてしまいました。同じ一万円でも、今までの、汗水を流して稼いだ一万円とは、まったく異なったものになっています。借金や資金繰りのことなどで、僕らを長らく悩ませ、寝不足にさせてきた、お金の姿そのものが変わってしまったのです。

この変化をチャンスと捉えてみませんか。

まず、「お金リテラシー」を更新していきましょう。お金は「信用」になったのです。実際に仮想通貨は、仮想であることが「信用」で成り立っているのです。

それでしたら、「信用」を身につけて、フルに使って、賢い生活を維持していきましょう。

たいへんな時代ですが、ちょっとゲームのようでもあります。

増やすのも使うのも、お金ではなく「信用」です。ポジティブに捉えて、眠りにつくことにしましょう。

成功者の概念が変わっている

有名な大学で学び、一流企業に勤めて、昇進を重ねていく――。それが、昔でいうところの、人生における「成功」でした。

偏差値の高い大学を目指し、卒業したら、一流で給料の良い会社に勤める。上司の顔色を窺い、休みの日にも接待に明け暮れる。お中元やお歳暮を贈って、周囲よりも少しでも上のポストを勝ち取ろうとする。朝早く、満員電車に揺られ、残業し、定年退職の日を迎えるまで、そのレースはずっとずっと続いていました。

いま、そんな会社人生を歩むひとは、どれだけいるのでしょう。

「べつに出世しなくてもいい、生活が充実しているほうがいい」

めんどうくさいマネージメントをしなければいけない肩書きはいらない。それよりも、自分のペースで仕事をこなせて、資産がほんのすこしあるほうが、何倍もいい――そんなふうに考えるひとが増えているように思います。

つまり、社内でのポストや、会社のポテンシャルよりも、会社以外で自分自身をスケールアップさせていくことに価値を見出しているのです。「成功」の概念も、まるっきり変わってしまったのです。

終身雇用制度も崩壊し、会社に対する忠誠心みたいなものは、過去の遺物になりつつあります。

ポストよりも、新しい「お金リテラシー」を持ちながら、知識や経験、キャリアを積み、資産を増やしていければ、それで良い。普段、会社員として得る賃金は、ほとんど、日々のランニングコストに使っていく。資産の運用については、政府も後押しをしているぐらいですから、すでに始めているひとも多いと思います。そのことに対する意見は、さまざまあるでしょう。でも、現実がそういう世界に、すでに突入してしまったということは、認めなければいけません。

お金に対するトレンドが、これだけ刻一刻と劇的に変わる現在、これまでは想像もつかなかったような、新たな悩みを抱えるひとも、増えてくることでしょう。

正直、新しい情報についていくのはかんたんではありませんが、価値観が変わる最中にあるいま、僕は、これまでと未来というその両方の動向を注視していこうと思っています。これから先の未来を考えつつ、これまでのことも忘れずにいたい。両方の価値観を、自分の中に温存しながら、日々を生きていきたい。

それが、今の時代を生きる僕ならでは、できることだと思っています。

お金と生き方に対する悩みや心配を抱え、眠れないでいるひとに対し、どんな解決の糸口を、僕がお伝えできるのか。

それはお金のことだけでなく、経済、社会、医療、テクノロジーなど、自分の仕事や生活に関わるあらゆることに対して、「知る」ではなく「わかる」が大事だということです。「知る」と「わかる」、このふたつの違いが私たちの命運を分けるのです。

知っただけで安心してはいけません。「わかる」という、いかにそれを理解するかに私たちの人生はかかっているのです。

Chapter 6

まとめ

お金よりも自分らしさ

お金とは、使い方で生まれる「信用」

お金を使う技術を磨く

「知る」ではなく「わかる」が大事

Chapter 7

孤独を恐れない

「眠れる＝善」を疑う

心おだやかに、ぐっすりと眠れるようになるためには、ふたつ必要なことがあります。

一つは、自分の人生や仕事、人間関係についての考え方に、いま一度向き合ってみることです。どんなことにも点検と整えが大事なように、常々の素直な気持ちによる見直しを心得ること。そしてもう一つは、できるところから少しずつでよいのでその修正を心がけることです。

このふたつを意識することによって、眠りをさまたげる不安や悩みはいつしか消え去り、ここちよい眠りを得られると、僕は考えています。

とはいえ、一つ考えてみてほしいことがあります。そもそも「眠れる」のが良くて、「眠れない」のが良くないことなのでしょうか。

もちろん、夜ぐっすり眠れるのは、すばらしいことです。でも、いっぽうで、眠れない夜にも、それはそれで、何らかの意味があるのかもしれない。眠れない夜に意味があるのなら、決して悲観する必要もないのではないか。そんなふうに僕はある時、思ったのです。

眠れないことにもまた意味があるのなら、むやみに逆らわなくてもいい。眠れない夜であっても受け入れる。そこには、自分にとって必要な何かがあるのかもしれない。

僕自身が生きていくうえで、すべての考え方の中心としているものに、全肯定があります。

全肯定する。つまり、すべてのものごとを受け入れる。「Ｙｅｓ」と考える。さらにいえば感謝もする。それが僕の人生の源にあります。

なかなか眠れないな、という夜も、そのことを「イヤだなあ」と思わない。どうやっても眠れないのなら、これには何か、意味や理由があるはずだ。なにかしら、必然なんだろうと捉えていくのです。しかも、「ありがとう」と感謝をする。そうすると不思議と肩の力が抜けていく。

いうなれば、「眠れる日も恵み」だけれど、「眠れない日もまた、恵みがある」という発想に切り替える。そうすると、眠れなくても、それほど悲しむことでもなくなってきます。

すべてを肯定するという考え方は万病の薬です。

不眠がちだった四〇代のころ、夜に何度も寝返りを打ちながら、僕は苦しんでいました。

朝があり昼間があり夜があり、多くのひとたちは、「昼間は仕事」「夜は眠る」という基本ルールのもと、生活を送っています。

もちろん、夜に仕事をしているひともたくさんいて、この世界をしっかりと支えてくれています。ただ、多くのひとたちを例にすれば、朝は「起きる」のが当然で、夜、「眠る」こともまた当然。「夜に眠らないのは不自然」

と思い込んでいるひとは多いのではないでしょうか。

でも、現実に、眠れない自分がここにいる。

「どうしてだろう?」

そう悩み続けたある日、仕事でお世話になっているひとや、僕が尊敬しているひとたちに、不眠のことについて相談してみました。

すると、意外なことがわかりました。

それは、誰もが、眠れない夜もあること。自分一人が眠れないのではないこと。

みんな、眠れない。眠れないなりに工夫をして、朝を迎えている。

それを知り、僕は、一人じゃないと胸をなでおろしたのです。

安堵した瞬間、「そういえば」と、当時の僕が思い起こしたことがあります。

子どものころ、夜中に目が覚めると、母親が読書や裁縫をしていることがありました。

「お母さん、まだ起きているんだな」

当時はそう思っただけだったのですが、思い返してみれば、きっと眠れなかったのかもしれないのです。眠れないから、お裁縫をして、本を読んでいたのかもしれない。母親なりに眠るための工夫をしていたのかもしれない。翌朝になったら、家族の誰よりも早く起きなければいけないのに、何かしらの理由で母は眠れなかったのに違いありません。母でさえ眠れない日はあったのです。

知人への相談や、幼いころの思い出を通じて、すっかり気持ちが楽になりました。

眠れなくて、自分だけが悲劇のヒーローだと思っていたけれど、「みんなそうなんだ、僕だけじゃないんだ」って気づいたのです。「絶対に眠ろう」と意地を張ると、つらい。却って眠れない。できないことをやろうとしていると、そのうち、夜がやってくること自体が怖くなってしまいます。だったらいっそ、眠れないなら「眠ろう」と考えなければ良いのではないかと思いました。

そのとき、実践したのは、まずは、心と身体を休めるために横になるということでした。

　たとえば、ベッドに入る午後一一時、そこからの時間は「眠る」ことに集中するのではなくて、「心と身体を休める」時間として捉えるようにしてみたのです。

　眠れるか、眠れないかは、そのときになってみないと、わからない。そう思うことにしてみました。さらに言えば、どっちでもいい。

　僕のメンターだった編集者の先輩は、不眠で悩む僕に、こう教えてくれました。

「横になっているだけで大丈夫よ。結果として、眠りがやってこなかったとしても、かまわない。横になっているだけでも、翌日の疲れ具合が違ってくるから」

　確かにそうしてみると、身体だけでなく気持ちの疲れ方が減ったことがわかりました。

　夜は「心と身体を休めること」が目的であれば、それでいい。

「絶対に眠らなければ！」から自分を解放したことで、楽になっていったのです。

夜を眠るための時間ではなく、ちからを抜く時間、休む時間、と捉え直してみる。その時間は起きていてもいいし、寝てしまってもいい。気持ちを楽にすることこそが、いちばんたいせつ。

眠らなくてはいけない、の呪縛から、自分を解き放ってみましょう。

僕自身の経験から、あなたにお伝えしておきたいことです。

「問題解決＝善」を疑う

世間では常識とされているようなことを、疑ってみる。

僕は時折そんな思考をすることがあります。

たとえばですが、仕事においても、人生においても、問題を発見したら解決をすることは、あたりまえのように正しいことだと思われています。

でも、それはほんとうなのでしょうか。

あるひとから、こんな話を聞いたことがあります。

真偽のほどは、さだかではありませんが、ちょっとおもしろい話だったので、紹介してみようと思います。

そのひとによれば、インドに暮らすひとは、考え方、意識の中に、問題解決という概念が薄いというのです。もちろん、一四億人を超える人口を抱える国のことですし、いまは経済発展の著しい国ですから、みんながみんな、そうではないことでしょう。

でも、ある種、解決しないという、あるがままみたいな状態をよしとしていて、困っていることを、一つひとつ解決していこうという発想が、日本ほど強くはないらしいのです。

さらにいえば、インドは自ら他国に対して戦争を起こしたことがないというのです。問題解決の先には、常に争いがあり、究極は、国同士の戦争です。

この話の真偽は置いておいても、問題解決にこだわらないという発想に僕はある種の開眼をしたのです。解決する、という発想がない代わりに、前を向いて、新しいことを創造していくほうが、発展的だ。そう考えているというのです。

インドは今や、ＩＴ大国になりましたし、いろんな新しい技術を開発しています。いっぽうで、依然として貧富の差は深刻で、カースト制度は深く根づいているなど、さまざまな問題を抱えています。でも、いろんなことは何一つ解決していないけれど、それでも豊かな国へと変わり、歩みを続けています。

そんなふうに、矛盾をはらみながらも猛スピードで進んでいくインドという国を思ううちに、問題とは、解決しなければならないものというこだわりがなくなりました。

眠れないという問題を絶対に解決しよう。

そんなふうに思うよりも、眠れないという問題を問題とせず、あるがままの姿勢で寄りそうほうが、なんだか僕にとっては楽な気がしてきたのです。

眠れないことを解決するというより、それをただ受け止めるぐらいでかまわない、と思うことにしてしまいませんか。

特効薬を見つける必要はないのかもしれません。

なかなか寝つけない夜には、とりあえず横になって、身体と心を休めてみましょう。

ぼんやり、ゆったり、のんびりと。
そう、母なる大河の流れに身をまかせるイメージで行きましょう。

死とは「眠って目が覚めないだけ」

昨年、メンターとして慕っていた方が亡くなったとき、僕はうつろな日々をしばらく送っていました。

尊敬するひとが、亡くなってしまうことは、あまりにも切なく、寂しいものです。

いっぽうで、自分にとって「死」というものについての考え方は、おそらくひとよりもシンプルだと思っています。

「死ぬって怖い」「死にたくない」

そんなふうに、漠然と思っているひとは多いと思います。でも、誰も「死」を経験していないから、どんなものだかわかりません。

わからないから、怖いのだと思います。不安が生じる理由は、「わからない」ことにあるからです。

僕の考える「死」とは、すごくわかりやすくて、すごくシンプルです。

それは、単純に「眠って目が覚めないだけ」。

「死」について多くのひとは、病気だ、ケガだ、事故だ、苦しい、などとさんざん恐怖心を煽られてきたのではないでしょうか。

でも僕はそれほど怖いとは思っていません。単純に、「眠って目が覚めないだけ」と思うのです。

漠然とした不安が起きてしまうのは、ある程度、仕方のないことでしょう。

この先、たいせつなひとやパートナーを失ってしまうのではないか。

一人残されたときの将来を考えると不安でたまらない。

自分自身がこの先どれだけ生きられるのか、わからない。

でも、生きているひとはまだ、誰も死を経験していないので、どんなものだかわかりません。結局は想像することしかできないのですから、僕はこう思い込むことに決めました。

「眠って目が覚めないだけ」

そんなふうに自分を思い込ませてみたら、「死」に対する恐怖心や不安がなくなりました。

毎日、僕たちは眠りにつきます。

そして数時間後、僕たちは起きます。

けれども「死ぬ」ってことは、眠って、目が覚めないということ。

もちろんこれはあくまでも僕の思い込みです。思い込みだけれど、そう思っておくと、「死」というものが、それほど怖くなくなってくる。そう思いませんか？

わかりませんが、死を迎えるとき、ちょっと苦しいなと思いながら眠るのかもしれません。

どこかが痛いのかもしれません。苦しいのかもしれません。

それでも、結局は、気を失うように眠ります。目が覚めなければ「死」です。

そんなふうに捉えておけば、死のことを考えてしまい、恐怖のあまり思い悩んで眠れなくなる意味はなくなると思うのです。

僕もこれまで、病気にかかったらどうしよう、事故に遭ったらどうしようと、さんざん恐怖心を持ち、「いつ死ぬんだろう」と怯(おび)えていた時期もありました。でも、ほんとうの「死」は、きっと全然、怖いものじゃない。
「眠って目が覚めないだけ」
僕自身がこれまでの人生にひと区切りつける。与えられた役割を終える。そして、新たな出発を迎える。そんな感じではないだろうか。僕はそう自分自身に思い込ませています。

老いだって自然の摂理

年齢を重ねるにつれ、今までは難なくできていたことが、できにくくなることを、実感しています。目がかすんで、見えづらくなる。小さな声が聞き取りづらくなる。スマホをどこに置いたのか、行方がわからなくなる。疲れやすいなど。

心配性の僕は、約束を忘れるということはありませんが、スケジュールを眺めていて、「あっ、この打ち合わせは明日だったのか！」なんて、ハッとすることはたまにあります。

歳をとることで、あちこちに不具合が出てきます。けれども、それは何もかも当然であり、自然の摂理ではないかと思うのです。

ひとつぶの種から芽が出て、葉を広げ、茎をのばし、花が咲いたら枯れるのと同じこと。それに逆らおうとは、思いません。自動車だって、何年も走れば、それなりに壊れるところも出てくるのが自然で、修理をしながら、いたわりながら走らせなければいけません。

僕は、老いを不幸なことだとは思いません。

高齢になるにつれ、手がふるえるとか、膝が痛くなるとか、体力が無くなるとか、そんな不具合は増えることでしょう。

こんなはずではなかったと嘆くひとも多いと思います。

でも、そんなのは当然のこと。ありのままを受け入れて、「それはあたりまえ」と思っておけば、べつに悲しくもないし、悲しむ必要もないと思うのです。

もともと、ひとは、誰しもが傷つきやすく、弱い存在です。生き物ですから当然なのです。自動車だって七〇年も経てば、それなりに不具合はある。

それを忘れないようにしておけば、自分にも優しくなれるのではないでしょうか。

みんな、平等に年齢を重ねるのだから、自分だけが老いていき、つらいのではありません。

平等なものであるのなら、老いに悩むことなく、自分のできる範囲で人生を存分に楽しみたい。自分の殻に閉じこもるのではなく、いろんなひとと会って、話したり、本を読んだり、たくさんの経験を重ねていきたい。

そういう日々の中で、なるほど、という気づきに感謝して、前向きに生きていきたい。会うひとがみんな、自分にとって「何か」を教えてくれる先生である。そう思って僕は日々を生きるようにしています。

子どもでも、僕より年下のひとでも、誰でも、僕に「何か」を教えてくれる先生なのです。直接、「これはこうだよ」って諭してくれることはなくても、行動や言葉、ちょっとした所作や考えで、僕に何かを学ばせてくれているのです。

そんなふうに考えて毎日を過ごしていると、明日が楽しみになり、老いに対する恐怖を感じている場合ではなくなってくるのです。

孤独よりつらいのは孤立

いつか自分も、家族や友人、大切なパートナーに先立たれ、世界で自分はただ一人になってしまったなどと、悲しみにくれる瞬間が、やってくるかもしれません。

もともとパートナーがおらず、天涯孤独のひとだって、この世の中にはたくさんいます。

孤独とどう向き合えばよいのでしょうか。

いろんなひとからこう聞かれます。

孤独はたしかにつらいこと。けれども孤独は、人間の条件ではないでしょうか。

これは僕自身、若いころからさまざまな経験を繰り返してきた中で、孤独をどう解釈しようかと考えた末、たどり着いた答えです。

孤独は、生きていくうえでの条件です。孤独を受け入れる。孤独に感謝する。だからこそ、はじめて、自分以外のひとに対して、やさしくしよう、助けよう、思いやろう、となれるのではないでしょうか。

そう考えてから、僕は孤独をつらいとは思わなくなりました。

孤独であるからこそ、他人に感謝し、他人を思いやる。孤独であるからこそ、自分を見つめ、自分と向き合い、成長をしていくのです。それは決して楽なことではありませんが、誰もがそうやって自分の人生を自分のちからで歩んでいくのです。自分の船を自分で漕いでいくように。

ただ、孤独よりつらいことがあります。

それは、孤立です。

ひとから自分が必要とされない。自分もひとを受け入れない。

もっと言うと、自分さえよければいい。

すべてを他人のせいにして生きていく生き方とでもいいましょうか。

孤独と孤立。漢字で書くと似たような言葉ですが、その意味はまったく異なります。

ひととひととのコミュニケーションが、まったく取れない。あるいは取ってもらえないのが、孤立です。

いつも思うのは、孤独は、生きていくうえでの最低条件として、受け入れていくことができるけれど、孤立というのは、自分自身が原因であったり、自分自身が招いて起こることです。孤立は自分のせいなのです。

孤独を受け入れないと、孤立する

孤独を受け入れれば、誰に対しても挨拶をしよう、親切にしよう、と思いますし、何か困っているひとがいたら助けようと思います。そして一緒に何かしよう、しあわせを分かち合おうという考えが生まれてきます。人を思いやり、何かをしよう、分かち合おう、というだけで、コミュニケーションが成り立つのです。

孤立するひとは、あまり相手のことを考えないひとだと思います。常に誰かに何かを求める甘えという過度の依存をする傾向がみられます。

そしてまた、ひとを支配したいとか、所有したいとか、コントロールしたいとか、そういう気持ちがあるから、孤立していくのではないでしょうか。支配したいと思う気持ちが叶（かな）わないから、さらにひとを否定することになり孤立してしまうのです。

孤独を受け入れられないと、いつも誰かを自分の思うようにしたいし、わがままも言いたくなります。すると、ますます孤立していきます。

そして、そんなひとは、周りにたくさんひとがいるほど、寂しさを感じ、ひとに対して、わがままを言ってしまうのです。

孤立しているひとは、「個」が確立してないひとだと思います。

時代と共に、年齢と共に、自分自身も変わっていくべきです。古い自分という殻を破って、成長し変わっていかないと、どんどん孤立してしまいます。

そう、自分を変えていかないといけないのです。

自分の思うようにしたい、自分のものにしたい、という気持ちは、僕はおそろしい負の感情だと思います。ただいっぽうで、おそらく人間は誰しも、それを本能的に持っているとも思うのです。だからこそ、意識的に注意しないといけない。常々僕はそう思っています。

どんな関係であろうと、ひととの適度な距離感は、侵害してはいけない。ひとに限らず、たとえば自然環境にしても、それは人間のものと思う考えから、自然破壊が起きています。

そもそも、この世に自分のものなんて、ないんだということに気づくべきです。

良好な距離感を保つことができれば、その先に生まれるものがあります。それは感謝と尊敬です。

誰に対しても、どんなものにも、自然環境に対しても、たとえ、小さなコップ一つに対しても、感謝と尊敬を持つようになります。

その感謝と尊敬が、良好な関係性、距離感を保つものになるとも思います。ものにも、ひとに対しても、支配するような距離感になってはいけません。それを勘違いさせる距離感を持ってもいけません。それに悩まされると、眠れなくなってしまうのです。

コロナパンデミックで「ソーシャル・ディスタンス」という新しい言葉が生まれました。普段の人間関係でも、ディスタンスは絶対必要だと僕は思います。必要のない争いを生まなくなるし、自分自身の心を守る手立てになるからです。これは感謝と尊敬の一つの表れです。

相手を侵害しないことが、たいせつなのです。

愛し合うということがあります。愛し合う、ということは、向き合うことではなく、ともに同じ方向を向いて歩くこと。それをみんな、忘れてしまっているのではないでしょうか。

同じ方向を向いて歩きたいということを、僕の中で一つの理想として、忘れないでいたい。

そもそも、愛し合うという言葉は、生かし合うことだと思います。

相手がいかに自分らしく、自由にのびのびと生きていくことをサポートするか。相手を理解して、支えていくか。それが結果として愛し合うということだと思うのです。

相手が自由に、のびのびと生きられない事態にならないように、お互い、気を配っていく。

生かし合うこととは何かを考え続けていく。

その源には感謝と尊敬があってこそ。

そう考えれば、心おだやかになって、夜を迎えられるのではないでしょうか。

Chapter 7
まとめ

誰にでも眠れない夜がある

解決しなくてもいい

死とは「眠って目が覚めないだけ」

老いることは自然の摂理

孤独よりつらいのは孤立

ひとに対して感謝と尊敬の気持ちを持つ

Chapter 8

これでぐっすり眠れます

嬉しかったことを三つ思い出す

おだやかに一日の終わりを迎えたい。誰もがそう思っているでしょう。しかし、日々の生活の中で、どうしてもつらいことや悲しいことは起きてしまいます。

これは生きているかぎり仕方がないことです。そんなつらいことや悲しいことにあってしまったとき、眠れない夜はどうしたって訪れてしまいます。

悩みや困りごと、不安、モヤモヤはいやでも起きてしまう。
そしてそれをゼロにすることはできません。
けれども「軽くする」「受け止める」ことはできるはず。

眠れないある夜、僕なりに「どうして眠れないのだろう」と考え続けたことがありました。何度も寝返りを打ちながら、あれこれと僕が考え続けていたこと。

それは、「僕の中で、何かが欠けているのかもしれない」ということでした。

何かが欠けているから眠れない。それが満たされたら、きっと眠れるはず。そして、その欠けているものを、あれこれ探しているうち、僕は気がつきました。

「もしかしたら、感謝の心が欠けているのではないか」と。

「感謝の心」。つまり、「嬉しいな」「楽しいな」「よかったな」って思うことが、一日のうちには何度かあったはずなのに、一日の終わりにはなかったことになっている。そのことに気づいたのです。自分が思う、そういったしあわせを感じることがあれば、自然と感謝の気持ちが湧いてきます。

感謝の気持ちで一日を終える習慣をつくっていこう。

そのために、意識的に「感謝の心」を呼び戻してみてはどうだろう。

具体的にいうと、ベッドに入って、「さあ、寝よう」というときに、今日起きた「嬉しかったこと、喜んだこと、よかったこと」を三つ思い出してみるのです。

記憶の時計の針を戻し、朝のことを思い出してみます。

僕が日課にしているランニングで、「今朝は気持ちよく、歩くことなく10キロ走り切れたな」。

それから、起きたことを思い出してみます。

「今日、お願いしていた仕事が思ったより早く完了したな」

「ランチで食べたパスタがおいしかった」

天気が良くて、雲のないうつくしい青空を見られたな、そんなことでもいいのです。一日を過ごしていると、何かは必ずポジティブなことがあるはずです。

たとえば、ある一日を振り返ってみましょう。

朝、隣のひとと「おはよう」の挨拶をして、なんかとてもいい感じだった。これで一つ。「公園の花がきれいに咲いていたな」。これも一つ。「夕焼けがとてもきれいだった」。もう三つそろってしまいました。「そうか、今日はなんていい日だったのだろう！」と、気持ちが変わってしまうのです。そんな、今日に起きたしあわせを、ベッドの中で静かに思い出してみるといいのです。

よかったことを見つけると、それまでの「今日はたいへんだった」「いやなことがいっぱいあった」というマイナスな気分から逆転して、プラスの気分になります。そうすると、気持ちも落ち着き、安心して眠りにつくことができるようになるのです。

どんなに最悪だと思った日でも、三つぐらいはいいことがあったはずですし、本当はもっとたくさんあったことでしょう。朝から夜までの記憶をたどっていけば、朝にはいいことが一つもなくても、お昼には、午後には、何かしらいいことがあったのではないでしょうか?

たいせつなのは、一日を感謝で終わらせるということ。これは人生を苦しみながら歩まない、生き方のコツである気がしています。

この「一日をハッピーに終える」という僕の発想は、ちょっとした発明に近いようなものだと思っています。

そして、前向きな言い方をすれば、いやなこと、つらいことの中にも、感謝に値する事柄があるはずだと、僕は思うのです。

意地悪をされたときには、「こういうことをされたら、ひとがいやな気持ちになるな」という視点で考えてみると、それだけでも大きな学びになります。その機会をくれた、と感謝するようにすれば、「しあわせ」のカウントに入ってしまいます。

日々というのは自分にとってプラスになる学びが必ずあるものです。一日をハッピーエンドにしていくという意志は、とてもたいせつだし、生きていくうえでのコツだと思うのです。

一日の終わりに、三つ、よかったことを思い出してみましょう。

僕はこのことを実践してから、寝る時間が楽しみになりました。しあわせの記憶に包まれながら、ぐっすり眠りにつくことができるのです。

ぜひ、ためしてみてください。

今晩から実践できることですし、なにより、抜群の即効性があります。

休憩を取る

夜、しっかり身体を休めることができていないと、昼間の集中力が落ち、仕事がはかどらなくなってしまいます。

そういうとき、何よりもたいせつなことは、休憩です。

僕は、一時間以上連続で仕事をしないように心がけています。

その間に五分でも、一〇分でも、休憩を必ず入れて、仕事から離れて、一回、リフレッシュします。

眠りのペースが崩れている場合の多くは、昼間の身体や心のバランスも崩している気がするのです。

仕事の集中力が落ちている、仕事がはかどらない、そういうときには、自分には休憩が足りていないのではと考えてみましょう。

もちろん、仕事の内容にもよりますから、きっちり一時間、でなくても構いません。一息ついて休憩を取ることは、消耗した身体と心を回復させる、いちばん確実な方法なのです。


どんなに休憩がたいせつなのかを僕が意識したのは、五〇歳ぐらいのときです。

当時僕は、出版の世界から、インターネット業界に飛び込んだばかりでした。入社して、そこの開発部のエンジニアたちが働く姿を見て、感銘を受けたのです。彼らは一日八時間、プログラミングの作業に従事していましたが、なんと二〇分おきに休憩を取っていたのです。

聞いてみると、取り組んでいる仕事の効率を考えると、「二〇分おきの休憩」が、集中して作業するのに最も効果が高い、ということでした。
二〇分というと、みなさんはだいぶ小刻みな休憩、という印象を受けるのではないでしょうか。でも、実際に彼らは仕事に集中できていたし、作業の効率は上がっていたのです。

それまでの僕の感覚で「休憩」といえば、お昼休みの休憩と、三時のおやつ、みたいな感じで捉えていました。昔の職人さんだったら、午前一〇時と、お昼と、午後三時、といったところでしょうか。
でも、その事業部では、タイマーを鳴らして、きっちりと仕事をやめて、しっかり休憩していました。その結果、作業効率が上がることに加えて、「疲労感が減る」などのメリットもあるとのことでした。「適度な休憩って、たいせつなんだな」と、僕は感心したのを覚えています。

現在僕は、さすがに二〇分ごとではありませんが、一時間ごとに、五分でも一〇分でもきちんと休憩を入れるようにしています。

一時間以上は連続して仕事をしない。休憩を入れてリフレッシュ。少し身体を動かしたりして、消耗した身体と心を回復させて、また集中して、仕事に取り組む。

そんなふうに一日のリズムをととのえてみる。そうすると、夜の眠りもととのっていくはずです。

深呼吸を五回

すべての物事が、うまくいくわけではありません。

気分が沈みそうなとき。

そんなときに、自分を立て直すのに、最適な方法があります。

それはシンプルです。深呼吸をする。

深く、吸って、深く吐く。これをゆっくりと五回、くりかえすのです。

とたんに、リラックスができます。

これは眠れないとき以外にも役に立ちます。

たとえば、不安なとき、悩んでいるとき、なんだか気持ちがざわざわするとき、緊張しているときに、同じように、深呼吸をしてみましょう。

もちろん、これだけで問題が解決するわけではありませんが、解決させるための余裕が生まれます。

たいせつなプレゼンがあって、ここは正念場、というときには、深呼吸。

ひとから意見をされたり、上司に怒られたり、というときにも、深呼吸。

同僚とトラブルが起きたり、家族とけんかしたり……。そのたびに、自分を一回、リセットして、深呼吸。

気分を立て直したいときに、「深呼吸」は抜群の効果があります。

深呼吸のたいせつさを説くひとはたくさんいます。

プロのアスリートの世界でも、深呼吸を忘れたせいで失敗した、という選手は、山ほどいます。そのぐらい、深呼吸はたいせつなことなのです。

眠れない夜には、ベッドで五回、深呼吸。

ささくれた感情はすぐに落ち着いて、リラックスできるはず。

お金もかからないし、誰でもできます。困ったときほど、忘れてしまいがちだけれど、まず深呼吸なのです。

書きだす

仕事の悩みを抱えていたり、不安でモヤモヤして眠れないときがあります。そういうときに、ベッドから身体を起こした僕がまず手にするものがあります。

それは、紙とペン。

僕自身の周辺で今、起きている困りごとはなんだろう。不安に思っていることはなんだろう。それについて僕が思っている感情をとにかく書いてみるのです。紙にペンで書く。殴り書きでもいいからとにかく書きだすのです。

「あのひとに腹が立つ」

「あの案件が進んでいない」

「これが我慢できない」

そんなことを、思いつくままに書いていきます。

書いたものを俯瞰して眺めてみる。そうしているうちに、僕を不安にさせているものの輪郭がだんだんつかめてくるのです。モヤモヤしていたことがはっきりと理解に近づきます。

輪郭がつかめてくると、解決の方法を探るようになります。もしくは、なんて些細なことだろうと冷静になっていきます。

とにかく悩みの解像度がくっきりしていくイメージです。

ひと通り書いて、理解したり、解決法が見つかったり、ま、いいやと思えたりしたら、書いた紙をぐしゃぐしゃにして、ごみ箱に捨ててしまいましょう。悩みも紙くずと一緒に消えていきます。

ひとはみんな、しあわせになりたい、豊かになりたいという気持ちを持っています。けれども、その目的が、お金や権力、立場、物質的なものにあると錯覚してはいないでしょうか。

そうしたものが手に入りさえすれば、豊かさを得られてしあわせになれるのでしょうか。そんなことはありません。

僕は、しあわせとか豊かさは、物質ではないと思います。そして自分の外側にあるものではなくて、内側にあるものです。

それは、安心やおだやかさ、感謝や尊敬です。それが実感できるようになれれば、いろんな悩みから解放されるし、眠れるようになると思うのです。

まず紙とペンをベッドサイドに置いておく。モヤモヤしたときには、その気持ちをとにかく書いてみる、そして理解できて解決策が見つかったら、クルクルポンと捨て去ってしまう。強くおすすめしたいことです。

全身をリラックスさせる

どうにもこうにも眠れない夜、ありとあらゆる方策を尽くしてもだめな夜。「眠れないことを受け止めよう」という余裕もないときがあります。

たとえば「明日、仕事で何時間も運転しなければいけないから、なんとしても眠っておきたい」というような夜。

そんなとき、僕はまず、手を洗います。

身体にこびりついたストレスを水に流すイメージです。じゃぶじゃぶと冷たい水で手を洗うのです。

手を洗ったら、そのあと、部屋の空気を入れ替えます。

部屋に淀んだ、ネガティブな空気を、外へぜんぶ出し切って、まっさらな空気を迎え入れるのです。

そして、清潔なパジャマに着替えます。

マイナスなオーラが染みついた、古いパジャマを洗濯かごに入れ、まだ無垢なパジャマに袖を通します。

そして、ベッドに横たわったら、力を抜きます。

頭のてっぺんから足先まで順番に、意識の力を抜いていくのです。

身体のどこかに、よけいな力が知らず知らずのうちに入っているからかもしれないからです。

まずは頭、手、つま先、首、ふくらはぎ、肩、膝――。

身体の力を、順番に抜いていく意識を持ちます。

ちょっと瞑想っぽく、最後は宙に浮いているイメージを持ってみましょう。

よけいな力が、いつの間にか抜けて、リラックスできるはずです。

そしてもう一つ。これはとても個人的なこと。

じつは僕が、三六五日実践していることがあります。

それは、冷却枕を使うことです。

僕は、冬でも冷却枕を使って寝ています。

脳みそは、ほとんど「脂」のようなものだそうです。だから、一日じゅう働いていると、熱を帯びてきて、その熱はなかなか冷めないらしいのです。

眠るときに、頭が熱を持った状態はよくないですから冷やしたほうがいい。お医者さんがそう教えてくれました。

思い返してみると、たしかに、眠れずに悩んでいたころは、いつも頭が熱い状態だった気がします。

しっかりと眠るために頭を冷ますのです。

冷却枕にタオルを巻いて、頭を置いてみる。これがとてもいいのです。

眠りたいのに眠れない。そんなときは、「もしかしたら、頭が熱い状態なのでは」と疑ってみましょう。

僕は一年じゅう、冷却枕です。そのまま寝ても大丈夫。二、三時間も経てば冷却枕も常温になってしまうので、冷やし過ぎなんていうことにはなりません。

歌を歌う

絶望的に落ち込んで、どうしたらいいか、わからない。
もはやこれまでか。僕にだって、そんな状態に陥ってしまうことはあります。
そんなとき、どうするか。僕は、歌を歌うようにしています。

「新しいことを考えよう、絶対大丈夫！」
「新しいことを考えよう、絶対大丈夫！」

そんな歌詞に、適当なメロディをつけて、ほがらかに歌うのです。
声に出して何度か歌っているうち、強引ながらも心が上向きに転じ始めるのです。

みなさん、冗談だと思われるかもしれませんが、これは、ものすごく効くのです。「大丈夫」という言葉は元は仏教語だそうです。その響きは祈りでもあるのです。

「新しいことを考えよう、絶対大丈夫！」っていう言葉を、声を出して、自分自身の耳に届けるのです。

「新しいことを考えよう、絶対大丈夫！」

押しつぶされそうなとき、精神状態が不安定なとき、言葉にして歌ってみると、ネガティブな感情がそれに包みこまれます。そしてポジティブな言葉で上書きされる気がするのです。

自分のことは、自分自身が励ますしかありません。歌うことで自然と励まされていくのです。僕は、一日中、この歌をリピートして歌っていることもあります。

子どものように言い聞かせるうちに、ネガティブな状態を脱し、なんとか自己暗示ができるようになります。いうなれば、自分で自分に良い洗脳をかけていくという感じかもしれません。

自分を「洗脳する」、自分を「上書きする」ということは、とてもたいせつなことなのです。それ以外の方法で、ネガティブな感情を上書きすることを、僕はまだ知りません。

自分を強引にポジティブに上書きしていくのです。

この方法がいいのは、眠れないときだけに限らず、どんなときにも有効ということです。

「今日のプレゼン、緊張するだろうな……」

「会社に、行きたくないな……」

「あのひとと言い合いをしてしまって気まずいなあ……」

そんなときには、「絶対、大丈夫だよ」って、自分で自分に言い聞かせ、自己暗示をかけてみるのです。

「これまでだって、いつも乗り切ってきたじゃないか」

「絶対大丈夫」

自分を信じることができさえすれば、きっと乗り越えられる。

それで気分が完全に晴れる、というほどではありませんが、少なくともちょっと踏ん張れる気がするはず。

もし心配な予定が控えているようなときには、その一週間ぐらい前から、自己暗示をかけてみてください。

気持ちを、ポジティブなものに強引に上書きしていくうちに、ふしぎと上昇気流に乗った気になってくるはずです。


自分を信じる。

どうしても不安なときには、自分で自分を洗脳しよう。

歌を歌って、新しいことを考える。

そうすればいつしか、眠りが訪れます。

目をあければまっさらな朝がやってきます。

Chapter 8

まとめ

寝る前に今日嬉しかったことを三つ思い出す

仕事は休憩を取りながら

深呼吸をベッドで五回

悩み事を紙に書いてみる

冷却枕を使う

歌を歌ってみる

松浦弥太郎（まつうら・やたろう）
1965年東京生まれ。エッセイスト、クリエイティブディレクター。
（株）おいしい健康・取締役。「くらしのきほん」主宰。
2002年にセレクトブックストアの先駆けである
「COW BOOKS」を立ち上げる。
2005年より「暮しの手帖」編集長を9年間務めたのち、
2015年にWEBメディア「くらしのきほん」を立ち上げる。
著書に『着るもののきほん100』『伝わるちから』
『いちからはじめる』『仕事のためのセンス入門』
『しごとのきほん くらしのきほん 100』ほか多数。

編集　齋藤 彰
構成　加賀直樹

眠れないあなたに

おだやかな心をつくる処方箋

二〇二三年九月二十六日　初版第一刷発行

著者　松浦弥太郎
発行者　石川和男
発行所　株式会社小学館
〒一〇一-八〇〇一　東京都千代田区一ツ橋二-三-一
電話　編集〇三-三二三〇-五七二〇
販売〇三-五二八一-三五五五
DTP　株式会社昭和ブライト
印刷所　萩原印刷株式会社
製本所　株式会社若林製本工場

 ISBN 978-4-09-388891-2